COULEURS & FORMES

Ouvrage réalisé sous la direction de Somogy éditions d'art
Conception graphique **Stéphane Cohen** assisté d'Elvina Cohen-Russo
Fabrication **Michel Brousset,** Mara Mariano et Sandrine Arthur
Relecture et corrections **Philippe Rollet**
Suivi éditorial **Isabelle Dartois**

ISBN 2-85056-884-8
Dépôt légal : septembre 2005
Imprimé en Belgique (Union européenne)

Couleurs et formes
L'héritage du XVIIIe siècle dans l'École de Nancy

SOMOGY
ÉDITIONS
D'ART

MUSÉE DE L'ÉCOLE DE NANCY

Cette manifestation a été réalisée avec le soutien de :

EDF et sa Fondation, partenaires de « Nancy 2005 »

Partenaire historique de la Lorraine et de Nancy pour le développement culturel et la sauvegarde du patrimoine, Électricité de France se devait d'être présent une nouvelle fois pour célébrer les 250 ans de la place Stanislas et le temps des Lumières... Création, lumière et patrimoine constituent d'ailleurs le cœur du mécénat de la Fondation EDF.
Pour le groupe EDF, l'esprit « Nancy 2005 » illustre en outre parfaitement les défis auxquels il est confronté aujourd'hui mais aussi sa vision de l'avenir ; une vision qui passe par le développement durable, la contribution au progrès de la société, des valeurs fondamentales de service public et une éthique de comportement au service de l'intérêt général.

VEOLIA Environnement est le n° 1 mondial des services à l'environnement et a vocation à accompagner les villes dans leur développement. Ses sociétés et filiales, Connex, Dalkia, la Société Nancéienne des Eaux, OTV et Rimma-Onyx sont fortement impliquées dans l'agglomération nancéienne pour fournir la meilleure eau aux habitants et les accompagner dans leurs déplacements, rendre la cité plus propre encore et proposer des solutions énergétiques efficaces pour le chauffage.

VEOLIA Environnement a choisi d'accompagner les collectivités dans « Nancy 2005 » car cette manifestation met en évidence le développement de la cité lorraine : le développement passé, par la rénovation et la mise en valeur d'un patrimoine exceptionnel, mais aussi le développement à venir par l'exposition de projets visionnaires.

Les filiales du groupe BOUYGUES BTP et Immobilier, partenaires de la ville de NANCY.

PERTUY, CIRMAD EST, SCREG EST, COLAS EST, BOUYGUES Immobilier et ETDE, s'engagent dans le mécénat culturel en devenant partenaires de la ville à l'occasion de « Nancy 2005, le temps des Lumières ».

Ce partenariat, avec une région désignée par le ministre de la Culture comme pôle pilote et expérimental de la décentralisation culturelle, est l'occasion de rappeler que le groupe BOUYGUES lui aussi est constitué depuis toujours d'entreprises régionales totalement intégrées au tissu local, proches de leurs clientèles et soucieuses de développement durable.

Active aux côtés du musée de l'École de Nancy depuis plus de vingt ans, la SNVB a contribué, avec régularité et passion, à son rayonnement par des opérations aussi diverses que le financement du fléchage urbain du musée, l'édition de plusieurs albums, le montage d'expositions dans ses agences, la restauration ou le don de différentes œuvres venant compléter ses collections. Fidèle à son engagement, elle apporte cette année encore son soutien à l'exposition organisée par le musée de l'École de Nancy dans le cadre de « Nancy 2005 » qui démontre l'influence du XVIIIᵉ siècle sur l'Art nouveau. L'Art nouveau, sa défense et sa valorisation, demeurent un axe majeur de la politique de mécénat de la banque. Cet engagement lui fournit une opportunité inégalée d'illustrer son positionnement de banque ancrée en régions. Une banque régionale se doit d'encourager toutes les initiatives qui contribuent à donner une image attractive ou dynamique de la région, qui renforcent le sentiment de fierté des femmes et des hommes qui y vivent, et qui créent ainsi, directement ou indirectement, de la richesse économique, sociale ou culturelle.
Une fois de plus, c'est avec enthousiasme et passion que nous soutenons les événements 2005.

Philippe Vidal
Président CIC Banque SNVB

Catalogue publié à l'occasion de l'exposition « Couleurs et formes. L'héritage du XVIIIe siècle dans l'École de Nancy »
organisée par la ville de Nancy et le musée de l'École de Nancy du 16 septembre au 31 décembre 2005.
Dans le cadre du programme « Nancy 2005, le temps des Lumières »

Commissariat

Roselyne Bouvier
professeur d'histoire de l'art
à l'école des beaux-arts d'Épinal

Valérie Thomas
conservateur, musée de l'École de Nancy

Assistées de Blandine Otter

Régie des œuvres

François Parmantier
attaché de conservation,
musée de l'École de Nancy

Scénographie

Philippe Renaud

Que les personnes qui ont permis
la réalisation de l'exposition
« Couleurs et formes. L'héritage du XVIIIe siècle
dans l'École de Nancy » reçoivent
l'expression de notre gratitude pour
leur précieuse collaboration :

Sa Majesté la reine Béatrix des Pays-Bas

Direction régionale des Affaires culturelles
de Lorraine
M. Daniel Barroy, directeur régional
Mme Clara Gelly-Saldias, conseiller
pour les musées

Direction des Affaires culturelles,
ville de Nancy
Mme Véronique Noël, directrice
Mme Cécile Le Boulicaut, chargée
de la coordination des établissements
culturels

La Mission 2005
Mme Nadine Descendre et son équipe

L'exposition a été organisée grâce au
généreux concours de plusieurs collections
publiques françaises et étrangères ainsi
que de collectionneurs privés qui ont
préféré conserver l'anonymat.
Par leurs prêts, ces institutions ont permis
la réalisation de cette manifestation :

Museum für Angewandte Kunst, Cologne
Mme Patricia Brattig, conservateur ;
Mme Dorothée Augel, régisseur
des collections

The Bowes Museum, County Durham
M. Adrian Jenkins, directeur ;
M. Howard Coutts, conservateur

Museum Kunstpalast, Glasmuseum Hentrich,
Düsseldorf
Dr Helmut Ricke, conservateur ;
Mme Margret Pasch

Museum für Angewandte Kunst, Francfort
Mme Sabine Runde, conservateur

Hida Takayama Museum of Art, Gifu
M. Testuya Mukai, directeur ;
M. Yuki Imamura, conservateur

Collection Neumann, Suisse

Château-Musée Saint-Jean-l'Aigle,
Herserange Longwy
M. Jacques Peiffer, directeur

Royal Collections, La Hague
M. Ph. Maarschalkerweerd, directeur ;
Mme Saskia Broekema, conservateur ;
M. Marten Loonstra, conservateur

Musée national Adrien-Dubouché, Limoges
Mme Chantal Meslin-Perrier,
conservateur en chef ;
Mme Christelle Aubry, chargée
de documentation

Musée du Château, Lunéville
Mme Annette Laumon, conservateur ;
M. Thierry Franz

Bibliothèque municipale, Nancy
M. André Markiewicz, conservateur ;
M. Jacques Touron, conservateur adjoint

Musée des Beaux-Arts, Nancy
Mme Blandine Chavanne,
conservateur en chef ;
Mme Laurence Dupeyron,
attachée de conservation

Musée d'Orsay, Paris
M. Serge Lemoine, directeur ;
M. Philippe Thiébaut, conservateur en chef ;
Mme Caroline Mathieu, conservateur en chef

Musée municipal, Toul
M. Michel Hachet, conservateur

Musée Bellerive, Zurich
Mme Eva Afuhs, directrice ;
Mme Kristin Haefele, régisseur des collections

Pour la qualité de leur conseil et l'aide
apportée à la préparation de cette
exposition et à la réalisation
de ce catalogue, nous tenons également
à remercier :

Fabienne Aellen, Jacqueline Amphoux,
Helen Bieri-Thomson, Mme Jean Bourgogne,
Grégoire Bouvier, Gwénaëlle et Vianney
Butin-Motte, Michel Cailleteau,
Anne Fellmann, François Ferry, Yannick Fève,
Aubert Gérard, Fabrice Golec,
Antonio Guzman, Karine Lebouc,
Céline L'huillier, André Markiewicz,
Marie-Madeleine Massé, Éric Moinet,
Marcelle Moret, Bénédicte Pasques,
Daniel Peter, maître Jean Poncet, Yves
Richez, Hélène Say, Chantal Shield, la Société
lorraine des amis des arts et des musées
et son président, Philippe Thiébaut, Philippe
Vaillant.

Nous souhaitons aussi associer
à ces remerciements, pour leur aide
dans l'organisation de cette manifestation,
l'ensemble du personnel du musée
de l'École de Nancy et en particulier :

Véronique Baudoüin, Damien Boyer,
Marcel Capelle, Emmanuelle Guiotat,
Blandine Otter, Monique Parisse,
François Parmantier, Francine Pellerin,
Corinne Roche, Françoise Sylvestre.

Pour leur contribution à la réalisation
de cet ouvrage, nous remercions tout
particulièrement les auteurs des différents
essais :

Roselyne Bouvier, Jérôme Perrin,
Philippe Thiébaut, Jean-Claude Vigato.

Sommaire

Julien Gérardin
Ferronneries de Jean Lamour,
place Stanislas : la fontaine d'Amphitrite
Autochrome, 1907-1916
École nationale d'art, Nancy

Préface

André Rossinot
Maire de Nancy
Ancien ministre

Six ans après l'exposition « Fleurs et ornements », présentée au musée de l'École de Nancy dans le cadre de l'Année de l'École de Nancy, c'est une nouvelle et passionnante évocation qui nous est aujourd'hui proposée par Valérie Thomas, conservateur du musée et commissaire scientifique, ainsi que Roselyne Bouvier, professeur d'histoire de l'art à l'école des beaux-arts d'Épinal et commissaire scientifique invité, grâce à l'aide d'un mécène comme la SNVB.

Il s'agit là d'une démarche s'inscrivant dans l'ambitieuse opération que la ville de Nancy et ses partenaires ont, après l'Art nouveau en 1999, souhaité organiser autour du XVIIIe siècle et des traces de son influence dans notre imaginaire ou l'inconscient collectif, et dont la place Stanislas – si souvent représentée et aujourd'hui rajeunie, embellie, mise en valeur et piétonne, à l'occasion de son deux cent cinquantième anniversaire – constitue le symbole internationalement connu.

Si, entre 2000 et 2004, de riches et passionnantes présentations de chefs-d'œuvre, notamment dans les domaines du verre, de la céramique et de l'ébénisterie, issus des plus grandes collections publiques et privées, ont eu pour cadre l'ancienne Villa Corbin, le pari est ici d'une autre nature et pour tout dire plutôt audacieux, car le sujet n'avait jusqu'à présent été que peu traité dans sa dimension globale.

Car si des rapprochements saisissants sont volontiers faits entre les productions de Gallé, Majorelle ou Daum et des objets d'art venus d'Asie et notamment du Japon – autant de sources d'inspiration majeures et incontestées, sur lesquelles des travaux de spécialistes de grande qualité ont paru et dont le grand public est aussi à juste titre intimement persuadé –, il en va tout autrement du XVIIIe siècle, avec lequel l'Art nouveau semble avoir peu d'affinités.

Il est vrai qu'il peut, a priori, paraître surprenant que le classicisme ou le baroque aient pu exercer un quelconque attrait sur cette génération du tournant des XIXe et XXe siècles dont les préoccupations, les combats, les goûts et les aspirations semblent peu se prêter à des comparaisons avec la période antérieure, le contexte politique, sociologique et culturel étant profondément différent.

Évoquer les liens subtils et les filiations discrètes qui existent entre l'Art nouveau et le siècle des lumières pourrait sembler remettre en cause les certitudes scientifiques les plus solidement établies, alors qu'il s'est agi seulement pour les grands créateurs d'affirmer leur style propre et de trouver une voie personnelle, en se définissant d'abord par rapport à ce qui existait avant eux.

Tradition et modernité, art et industrie : c'est à travers le regard porté sur ce XVIIIe siècle si novateur dans le domaine des conceptions philosophiques et esthétiques que les artistes de l'École de Nancy ont réussi à incarner cette révolution des arts décoratifs qui devait trouver des prolongements jusqu'à la période contemporaine, où décloisonnements et « fertilisations croisées » se souviennent de la recherche d'un art total alors à son apogée.

Grâce aux prêts de grands musées et de collectionneurs privés, qu'il convient de remercier ici chaleureusement, le musée de l'École de Nancy apporte une contribution importante à la compréhension de l'univers artistique de l'École de Nancy et de l'Art nouveau, en le resituant dans une problématique élargie dans le temps (avec le XVIIIe siècle) et dans l'espace (l'Europe) ; « Nancy 2005, le temps des Lumières » est l'occasion de lancer cette exploration.

13

1

Charles Fridrich

Pots à feu de la place Stanislas

Pochoir sur peluche

Nancy, musée de l'École de Nancy

« Le XVIIIe siècle, de mille façons on le fait présent à notre esprit[1]. »

Roselyne Bouvier, Valérie Thomas

Si les artistes de l'École de Nancy ont cédé, comme leurs contemporains, à l'attrait de l'exotisme et ont été attentifs aux sources nouvelles fournies par les civilisations non occidentales, ils ont aussi porté une grande attention aux traditions artistiques lorraines, aux acteurs et aux créations majeurs des siècles passés qui les entouraient.

Il est clair que l'urbanisme, l'architecture et le décor architectural du XVIIIe siècle ne pouvaient qu'être une référence pour des artistes natifs de Nancy ou vivant dans cette ville pour laquelle cette période a été un véritable âge d'or. Cette tendance était cependant visible dans l'art français en général : la mode était au passé et plus particulièrement au XVIIIe siècle, qui symbolisait l'esprit et le style français par excellence. Cette mode avait de plus, comme principaux intercesseurs, les frères Goncourt, originaires de Nancy, mais ces derniers, même s'ils y étaient connus et respectés, n'eurent pas une influence concrète sur leurs compatriotes créateurs. Dès le XIXe siècle, la place Stanislas était considérée comme l'un des chefs-d'œuvre de cette époque (fig. 1), comme

en témoigne cette phrase d'André Hallays dans le *Journal des débats* en 1905 : « Si l'on veut connaître dans toute sa noblesse et dans toute sa grâce, le goût du XVIIIe siècle, c'est à Nancy qu'il faut aller. Nulle part, même à Bordeaux, on ne saurait découvrir un ensemble d'architecture où se manifeste d'une façon plus claire et plus charmante, le style d'une époque[2]. » À Nancy, les témoignages sont essentiellement architecturaux, mais les arts décoratifs lorrains ont connu durant cette période un formidable développement, créant un savoir-faire technique et artistique sur lequel les artistes de l'École de Nancy allaient pouvoir s'appuyer.

Ce n'est donc ni avec dédain, ni avec désintérêt, comme l'histoire du goût le montre parfois, que les Nancéiens envisageaient les créations du siècle passé. Les revues artistiques locales et divers ouvrages parus dans la seconde moitié du XIXe siècle témoignent au contraire de la volonté de consacrer des études à l'art lorrain du XVIIIe siècle et de le mettre en valeur. Ainsi, la revue *La Lorraine artiste*, créée sous le nom de *Nancy Artiste* en 1883, qui accompagnera le développement de l'École de Nancy et le succès de ses créateurs, consacre régulièrement des articles plus ou moins longs aux édifices et aux artistes lorrains du siècle précédent. Les couvertures de cette revue illustrent parfaitement cette orientation : celle que René Wiener a conçue en 1886 reprend ainsi un cartouche rocaille (fig. 2), celle que Camille Martin a dessinée en 1888 associe à d'autres éléments une représentation de l'arc Héré, qui fait la jonction entre la place Stanislas et la place de la Carrière. La place Stanislas et son commanditaire font évidemment l'objet de diverses reproductions et mentions dans cette revue. Dans son numéro de décembre 1885, *Nancy Artiste* signale

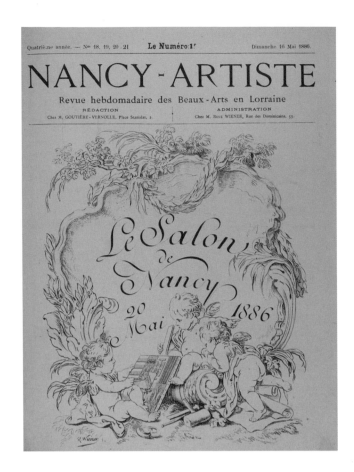

2

René Wiener
Couverture de *Nancy Artiste*, 16 mai 1886
Nancy, musée de l'École de Nancy

que le relieur et libraire René Wiener offre à sa clientèle, comme cadeau d'étrennes, une gravure de la place Stanislas dessinée par Édouard Auguin[3] ; cette dernière, publiée dans la revue sur une double page, est également offerte aux abonnés. En 1888, c'est une phototypie de la fontaine de Neptune qui est proposée aux lecteurs avec un commentaire du même Édouard Auguin, puis c'est au tour de la bibliothèque municipale et du château d'Haroué d'avoir les honneurs d'un article. *La Lorraine artiste* eut aussi le projet ambitieux – mais plutôt irréaliste – de constituer un répertoire alphabétique des artistes lorrains des XVIIe et XVIIIe siècles. Commencé dans le numéro du 8 janvier 1889, ce répertoire ne présenta que cent cinq artistes et se limita aux lettres A et B ; il s'arrêta dès le mois de juin de la même année. Ces articles ne sont pas tous limités aux années 1880 et la revue continue de présenter l'art ancien, même en pleine reconnaissance officielle de l'École de Nancy, comme l'atteste un texte sur les faïences de Niderviller publié en août 1900. Ces essais ne sont pas le fait de la seule *Lorraine artiste* : d'autres revues artistiques proches de l'École de Nancy, ont elles aussi, l'ambition de mieux faire connaître l'art lorrain du XVIIIe siècle et de témoigner de la diversité et de la richesse artistiques de leur région, comme si ces études pouvaient expliquer et justifier l'existence, un siècle plus tard, d'un mouvement artistique « moderne » dans la ville et en présenter ses acteurs, dans un certain sens, comme leurs héritiers.

Cette attention à l'art du XVIIIe siècle n'est pas l'apanage des revues, et l'on voit dans la seconde moitié du XIXe siècle paraître à Nancy plusieurs ouvrages dédiés à l'étude d'artistes. Ainsi l'architecte Prosper Morey publie-t-il une série d'ouvrages sur les principaux acteurs et créations de l'art lorrain du siècle précédent : *Les Statuettes dites Terre de Lorraine*[4], édité en 1871 à Nancy, sera suivi de monographies consacrées à Emmanuel Héré[5], à Germain Boffrand[6] et Richard Mique[7]. Ces publications illustrent cette attention et cet intérêt pour le patrimoine de la ville mais permettent aussi au milieu artistique nancéien de présenter ces manifestations comme la voie à suivre pour la nouvelle génération. Ainsi, dans ses *Impressions et souvenirs de l'exposition de Nancy en 1875*, Édouard Auguin la décrit comme « la première manifestation d'un retour vers les grandes choses du passé » mais sa conclusion aborde surtout la nécessité de rendre ce passé accessible aux jeunes ouvriers et à « ceux qui ont un double

3

Keller et Guérin – Manufacture de Lunéville
Vase Louis XV avec couvercle, rocaille,
décor saxe
Faïence
Nancy, musée de l'École de Nancy, inv. AD 88

intérêt à connaître les glorieuses traditions de l'art lorrain puisque appelés à les perpétuer ».
Vingt-six ans avant la création de l'association École de Nancy, la question de la formation des ouvriers d'art est donc déjà au cœur des préoccupations des Nancéiens mais la solution proposée – s'inspirer des fastes du passé – n'est pas celle que ce mouvement retiendra.

Pour les créateurs nancéiens, les sources et les modèles étaient donc faciles à trouver ; ils pouvaient aisément découvrir autour d'eux des pièces historiques et bénéficier d'un savoir-faire technique expérimenté et développé au siècle précédent. À ces modèles anciens correspondait, de plus, une clientèle toujours fidèle à des pièces inspirées des styles Louis XV et Louis XVI. Aussi, parallèlement à la production d'objets modernes, les artistes et manufactures d'art lorrain continuaient-ils de proposer des œuvres reprenant les formes et les décors traditionnels qui avaient fait la gloire de la région. La manufacture Keller et Guérin de Lunéville se lança ainsi dans la création des céramiques aux formes originales et végétales conçues par Ernest Bussière, membre de l'École de Nancy, tout en continuant à produire des faïences reprenant les grands succès de la fabrique, tel le modèle *Réverbère* mais également les modèles *Marseille*, *Saxe*, qui avaient dominé les arts du feu en France au XVIIIe siècle (fig. 3). Émile Gallé fit, lui aussi, appel aux manufactures locales pour créer ses faïences, et en particulier à Saint-Clément, qui réemployait pour son usage des moules conçus au XVIIIe siècle. Contrairement à Lunéville, il ne réalisait cependant pas de strictes copies : il appliquait sur les formes anciennes un décor nouveau et inédit. Même si certains éléments rappellent des motifs historiques

PLANCHE 50.

Phototypie J. Royer.   Nancy-Artiste.

Grand Escalier de l'Hôtel-de-Ville

4

Escalier d'honneur de l'hôtel de ville de Nancy
Phototypie Jules Royer
Reproduit dans *Nancy Artiste*,
2 octobre 1887, planche 50

empruntés à des tableaux, gravures et objets d'art, ce sont la disposition de ces ornements et leur association à des formes inhabituelles qui font l'originalité de ces faïences, bien qu'elles puissent apparaître au premier regard comme de simples pastiches.

Ces modèles XVIIIe siècle étaient d'autant plus évidents que certains membres de l'École de Nancy participèrent à la décoration intérieure de quelques édifices de cette époque, notamment celle de l'un des plus prestigieux, l'hôtel de ville, acquis par la municipalité en 1851 et qui avait subi depuis le milieu du XIXe siècle un certain nombre de modifications. Si le Salon Carré du premier étage avait conservé sa structure ancienne et le décor autrefois peint par Girardet, il n'en était pas de même pour les anciens appartements de Stanislas. Complètement disparus, ils furent remodelés sous le Second Empire pour donner place au Grand Salon que nous connaissons encore. Celui-ci frappe par son ampleur ; on y retrouve la même élévation que dans le Salon Carré mais la décoration, lourde, contraste avec l'élégance du décor XVIIIe siècle conservé dans la pièce voisine. Le plafond est l'œuvre d'Aimé Hippolyte Morot (1850-1913) qui, ne travaillant pas sur place, envoya de Paris, entre 1890 et 1895, de grandes toiles à maroufler. Un ensemble de nudités féminines évoluant dans un espace céleste, sans réelle référence allégorique, tente de renouer avec la manière des grands maîtres[8].

Victor Prouvé (1858-1943) et Émile Friant (1863-1932) participèrent, eux aussi, au programme de réhabilitation. Le premier exécuta les douze médaillons – installés entre les fenêtres, d'un côté, et entre les glaces, de l'autre – sur le thème des mois de l'année. Friant installa en 1895 deux panneaux muraux intitulés *Les Jours heureux* ; ils

sont aujourd'hui déposés au musée des Beaux-Arts de Nancy. La conception de cette décoration paraît hétéroclite, les enjeux étaient différents du programme élaboré en son temps par Girardet. Elle témoigne néanmoins de l'intérêt porté par les artistes de l'École de Nancy à l'un des monuments les plus somptueux de la place Stanislas, et de leur promptitude à répondre à une commande publique.

C'est dans ce même bâtiment que se trouve la magnifique rampe en fer forgé d'une seule pièce, rehaussée d'or, réalisée par Jean Lamour qui la considérait comme son chef-d'œuvre (fig. 4). Elle

5

Planche publicitaire de la Maison Majorelle Frères,

vers 1903

Nancy, Musée lorrain, fonds René Wiener

suscita d'ailleurs une telle admiration à l'époque, que l'on raconte que Servandoni, l'architecte de l'église Saint-Sulpice à Paris, accourut tout exprès pour en constater la perfection[9]. La serrurerie connaît alors un âge d'or et Jean Lamour s'impose rapidement comme un artiste génial et virtuose. Ses œuvres, grilles, balcons et rampes, faisaient encore à la fin du XIXᵉ siècle l'admiration de tous et ne pouvaient que servir de modèles, de références incontournables, pour les artistes et artisans du métal. Roger Marx, en 1892, notera à propos du réveil des arts décoratifs à Nancy « la persistance du génie local, de ce génie fait

d'élégance, d'esprit et de grâce forte[10] », ce qui permettra à la tradition lorraine de maintenir vivace celle de la ferronnerie.

Dès 1857, on éclaira la place Stanislas au moyen de réverbères en métal rehaussés de motifs dorés directement copiés sur les lanternes de Jean Lamour. L'interprétation était facilitée par les sources documentaires, comme le *Recueil des ouvrages en serrurerie que Stanislas le bienfaisant, Roy de Pologne, duc de Lorraine et de Bar a fait poser sur la place Royale de Nancy à la gloire de Louis le Bien Aimé* (Nancy, Thomas, 1767). Les sources dessinées étaient d'autant plus précieuses que les chefs-d'œuvre de la place Stanislas paraissaient, en cette fin de siècle, assez mal entretenus : « défigurées, badigeonnées de couleurs diverses, restaurées sans méthode et sans esprit de suite, nos grilles si célèbres ont perdu leur véritable cachet artistique[11] », se plaint-on.

Maintenir la tradition, ressusciter les chefs-d'œuvre du XVIIIe siècle : tel est exactement le propos de l'orfèvre Henri Bossert, installé à Nancy à la fin du XIXe siècle, qui montra en 1891, dans la vitrine de sa boutique de la rue Saint-Dizier, une superbe pièce de joaillerie, une copie des grilles et fontaines de Lamour et Guibal montée sur un plateau d'onyx. Une œuvre qui, dit-on, eut un grand succès à Paris. Dans la préface de son catalogue pour l'Exposition d'art décoratif et industriel lorrain, organisée à Nancy en 1894, il précise : « Depuis un certain nombre d'années, j'ai consacré mes efforts à essayer un renouvellement de la bijouterie et de l'orfèvrerie de notre Lorraine, imaginant des motifs de décoration, empruntés à nos souvenirs nationaux ou aux œuvres les plus remarquables de nos grands artistes d'autrefois. » Le champ de l'orfèvrerie s'empara de la vogue des motifs de style Louis XV. Le XIXe siècle avait produit davantage d'argenterie que tout autre période, en raison à la fois d'une forte demande – due à la croissance démographique – et à l'apport de la technologie moderne, qui permettait une production mécanisée, donc un coût de revient en baisse, grâce à l'utilisation de la galvanoplastie. Nancy n'échappait pas à la règle. Ainsi une page de publicité de la Maison Majorelle Frères (fig. 5), imprimée à Paris et destinée à une large clientèle, propose-t-elle, vers 1903, des objets argentés – pieds de lampes, flambeaux, boîtes à biscuits, carafons – aux motifs floraux souvent utilisés par Majorelle, nénuphars, iris, tulipes ou pavots. Leurs formes chantournées rappellent les plus belles pièces créées au XVIIIe siècle. Dimensions et prix étaient précisés ainsi que la mention « argenté vieil argent ». Quelques pièces ont été identifiées comme provenant de la maison Victor Saglier Frères[12] : ainsi cette étonnante jardinière et son plateau (cat. 53) sur le thème du chrysanthème, conçus dans l'esprit des créations du plus célèbre orfèvre de Louis XV, Meissonnier, dont les dessins

6

Maison Kauffer

Service à café en métal argenté

Reproduit dans Jules Royer,

L'industrie des arts décoratifs à Nancy

Nancy, bibliothèque municipale

servaient de modèles depuis le renouveau du style rococo des années 1880. Cet ensemble fut acheté par une famille nancéienne, au début du siècle, dans les magasins Majorelle de la rue Saint-Georges.

D'autres maisons d'orfèvrerie ont su profiter de l'impulsion donnée par Gallé en participant activement aux différentes manifestations organisées par l'École de Nancy. Il s'agissait de faire renaître en province une pratique artistique de qualité, de s'opposer à l'afflux des objets provenant de la capitale et de lutter contre une production à bon marché. Les références à la grande tradition de l'orfèvrerie du XVIIIe siècle allaient permettre cette renaissance. Dès 1894, la maison Kauffer s'était signalée par des bijoux, miroirs, bougeoirs, en or ou en argent, finement ciselés[13], portant sur les catalogues la mention « style Louis XV époque Stanislas ». Cette redondance peut paraître maladroite ; elle traduit, en fait, une volonté régionaliste lorraine, particulièrement vivace en cette période d'annexion. Un service à café (fig. 6) composé de trois pièces mêle de façon assez confuse les motifs de style Louis XV et Louis XVI, mais l'exécution reste de bonne qualité.

Alfred Daubrée (1818-1885) s'était fait connaître vers 1842 en tant que fabricant de bijoux et éditeur de bronzes d'art, réalisés d'après des épreuves d'artistes parisiens. Sa maison était installée à Nancy mais il avait une succursale à Paris et travaillait pour une clientèle parisienne et étrangère. Après sa disparition, Mme Daubrée, sous la direction d'Elardin, ne travaillera plus qu'en bijouterie et orfèvrerie. À l'occasion de l'alliance franco-russe, en 1893, trois corbeilles en argent seront réalisées, destinées à chacun des amiraux russes et portant le nom des navires venus mouiller en rade de Toulon. Les références au style Louis XV y sont, une fois encore, largement privilégiées (fig. 7). C'est donc surtout dans le domaine de l'orfèvrerie que les emprunts au XVIIIᵉ siècle lorrain ont été les plus convaincants. À la différence des créateurs parisiens, les artisans nancéiens ont souvent manqué d'inventivité et d'indépendance par rapport aux formes du passé. Ils n'ont pas su renouveler le langage décoratif, soucieux surtout de porter les techniques à leur plus haut degré et d'en accentuer l'aspect luxueux, comme au temps de Stanislas.

Le domaine de la ferronnerie, liée à l'architecture, devait faire preuve de plus d'imagination. Pendant tout le Second Empire, la ferronnerie, sans être complètement dédaignée par les architectes, fut remplacée par la fonte de fer moulée. Il revient aux artistes de la fin du XIXᵉ siècle d'avoir remis à l'honneur la pratique du fer forgé tout en l'adaptant au style nouveau. Fer forgé et modernité feront bon ménage.

À Nancy, plus particulièrement, les artistes s'intéressèrent à la ferronnerie. Les modèles de Jean Lamour furent d'une certaine façon redécouverts, puisque l'on procéda à leur restauration. Aimé Hippolyte Morot (1848-1905) consacra de longues années de sa vie à réparer les outrages du temps et c'est dans cette optique – retrouver la manière d'autrefois – qu'il réalisa un grand vase en fer forgé (fig. 8), copie conforme de l'une des pièces qui surmontent les grilles de la place Stanislas. Un travail réalisé à « froid » dans son atelier de Boudonville, où il modelait le métal pour obtenir des formes aussi souples que possible. La qualité de son travail le fit remarquer par Louis Majorelle qui lui confia, entre autres projets, l'exécution de la rampe d'escalier en fer forgé de l'ambassade de France à Vienne, en 1905. Morot se rendit sur place pour juger de l'effet[14]. Ce fut l'une de ses dernières réalisations.

7

J. Elardin

Dessin de la corbeille d'argent offerte à l'amiral du *Pamiat Azowa* en 1893, à l'occasion de la signature de l'alliance franco-russe

Encre de Chine, plume et crayon bleu sur papier estompé

Saint-Pétersbourg, musée de l'Ermitage, inv. N13553

8

Aimé Hippolyte Morot

Vase en fer forgé

Reproduit dans *La Lorraine artiste*,

9 octobre 1892

Nancy, musée de l'École de Nancy

Auparavant, il avait eu la satisfaction de se voir confier la création, à l'École des beaux-arts, d'un cours de ferronnerie artistique, signe évident de la reconnaissance des arts décoratifs et principalement des métiers liés à l'art du métal.

C'est avec un Parisien très connu dans la profession, Émile Robert, que Victor Prouvé collabora en dessinant des modèles de rampes et de grilles, régulièrement reproduits et commentés dans *La Lorraine artiste*.

Louis Majorelle, ne trouvant personne sur place pour réaliser les éléments en bronze, cuivre ou fer forgé qui ornaient ses meubles, créa vers 1890 un atelier consacré au travail du métal. Il y produisit, assez rapidement, des œuvres adaptées au décor architectural : rampes d'escalier et grilles pour l'intérieur, marquises, portes d'entrée et balcons pour l'extérieur. Dans ce domaine, Majorelle, en se préoccupant de varier et d'améliorer les formes, a su trouver ces combinaisons nouvelles qui attestent la persistance du génie artistique lorrain (fig. 9).

Si les exemples du XVIIIe siècle étaient particulièrement prégnants dans la capitale lorraine, les dangers de la reproduction étaient tout aussi régulièrement soulignés, notamment dans le préambule des catalogues d'exposition. Ainsi, en 1894, on précise : « Admirons le passé, étudions-le, profitons-en mais ne le recommençons pas[15]. » En 1903, on constate : « Renonçant tout à coup à jouir en paix des fruits de la reproduction des modèles du XVIIIe siècle et de l'érudition des styles historiques, nos décorateurs […] se sont vus successivement affranchis, bon gré, mal gré, de l'imitation des styles anciens par un principe nouveau, celui de l'observation scientifique des modèles vivants.[16] » Les artistes de l'École de Nancy doivent cette absence de rupture à l'enchaînement de la tradition, lié au développement progressif des savoirs et des faires, et surtout à l'impulsion

9

Louis Majorelle
Battant d'une porte en fer forgé
et bronze doré
Exposé au Salon des Artistes Décorateurs,
1906
Collection particulière

géniale d'Émile Gallé, le visionnaire, le fil conducteur, qui a su conjuguer attachement au passé et modernité.

1. MARX, 1891. **2.** HALLAYS, 1905. **3.** Édouard Auguin (Paris, 1844 - Nancy, 1901), dessinateur, écrivain et critique d'art. **4.** MOREY, 1871. **5.** MOREY, 1862. **6.** MOREY, 1865. **7.** MOREY, 1868. **8.** CHOUX, 1966, p. 19-32. **9.** COURNAULT, 1903, n° 9, p. 161. **10.** Reproduit dans *La Lorraine artiste*, 10 avril 1892, p. 241. **11.** *La Lorraine artiste*, 26 avril 1891, p. 272. **12.** Nous connaissons mal l'activité de cette maison, présente aux expositions parisiennes de 1889 jusqu'en 1902 au moins. Elle a aussi fourni des montures en argent pour des vases réalisés à Meisenthal par Burgun, Shverer et Cie. **13.** Reproduits dans VALBRÈGUE, 1900. **14.** Lettre de Louis Majorelle datée du 28 septembre 1908 (collection particulière). **15.** GOUTIÈRE-VERNOLLE, 1894, p. 1. **16.** Anonyme, 1903.

PORCELAINES ET CRISTAUX DE M. GALLÉ-REINEMER

1

Gravure extraite de l'ouvrage
de Charles Robin *Histoire illustrée
de l'exposition universelle par catégories
d'industries* (Paris, Furne, 1855), montrant
quelques pièces de l'envoi de Charles Gallé
à l'Exposition universelle de Paris de 1855,
parmi lesquelles un échantillonnage
du service destiné à la table impériale.

Gallé et l'art du XVIIIe siècle : la « douceur de vivre » retrouvée

Philippe Thiébaut

« La première exposition universelle de Paris en 1855 me vit médaillé pour mes décorations ; mes relations et ma réputation grandirent jusqu'au jour où je soupçonnai que l'heure de la renaissance des fayences à émail stannifère était venue : j'étais heureusement placé en Lorraine pour faire revivre les vaisselles qui s'y fabriquaient avec grand renom sous le roi Stanislas. Prenant un rôle d'initiative, je me rendis à Lunéville chez les Mess. Keller et Guérin espérant trouver en leur usine des facilités pour réaliser mes projets. Là il me fut montré avec beaucoup d'obligeance des types de vaisselles décorées d'avant la révolution. À ma question s'il me serait possible de faire exécuter à l'usine des services entiers ornés de mes dessins propres ou semblables à ceux qui m'étaient soumis, il me fut répondu que je pouvais parfaitement donner mes ordres. En conséquence, je remis séance tenante une première commande très détaillée d'environ 2 à 3 mille francs. Le lendemain, dès la première heure, j'apprenais à Nancy par lettre signée Keller et Guérin que ma commande ne serait pas exécutée. [...] Je me

souvins alors qu'il existait à St Clément une fayencerie ancienne dont la matière recouverte d'émail stannifère pouvait remplir le but que je me proposais. Je ne m'étais pas trompé et c'est ainsi que je remis au jour dans cette fayencerie, en suppléant aux modèles perdus, en en créant de nouveaux, et en organisant un atelier de décoration sur l'émail en crû, les vaisselles du roi Stanislas Duc de Lorraine [...]. »

Cette déclaration de Charles Gallé est extraite de sa *Notice sur l'origine de ses fayences*[1], rédigée le 1er mars 1880 et versée au dossier du procès pour contrefaçon qu'intentait alors son fils Émile aux propriétaires de la faïencerie de Lunéville, Louis-Edmond Keller et Auguste-Edmond Guérin. Dans ce texte, Charles Gallé situe la prise de contacts avec la manufacture de Saint-Clément en 1865 (fig. 2). Qu'elle soit en réalité légèrement antérieure et remonte à 1864, selon l'indication contenue dans une double feuille imprimée à l'occasion de l'Exposition universelle de Paris de 1878[2], ou à 1863, selon le propre témoignage d'Émile[3], peu importe. Compte avant tout l'heureuse initiative de se rapprocher de manufactures dont la création remontait au XVIIIe siècle, qui contribua fortement à asseoir la réputation artistique et la réussite financière du négoce de Charles Gallé.

En effet, dans la France de l'époque, le climat général est à l'idolâtrie du passé, et notamment du XVIIIe siècle. Le Second Empire s'annexe les styles Louis XV et Louis XVI, bien que ce besoin d'ancien ou d'illusion d'ancien – séquelle du romantisme – qui sévit tant à la cour impériale que dans les diverses sphères de la bourgeoisie, soit antérieur. Déjà, sous le règne de Louis-Philippe, le goût pour le XVIIIe siècle rivalisait avec l'amour du « gothique ». Nombreux sont dans les romans de Balzac, par exemple, les intérieurs regorgeant

2

Ces trois coupes reposant sur des pieds
de biche et couronnées de figurines dans
le goût de Cyfflé comptent parmi
les exemples les plus précoces
d'une réutilisation par Charles Gallé
des moules du XVIIIe siècle de la manufacture
de faïence de Saint-Clément
Vers 1864-1865
Photographie d'époque
Paris, musée d'Orsay

3

Plat à gâteau *À tout venant je chantais*
Faïence, décor polychrome de petit feu
sur émail stannifère blanc
Modèle créé en 1864
Collection particulière

de créations « genre Pompadour[4] ». Dès 1830, le nom de la favorite de Louis XV est associé aux arts du textile : il n'est question que de moiré, de barège, de damas « Pompadour ». Et si la passion de l'impératrice Eugénie pour la figure de Marie-Antoinette[5] contribue indéniablement à imposer le style Louis XVI, qu'il soit authentique ou précisément « impératrice », elle est moins source d'une mode qu'une expression, parmi d'autres, de l'air du temps. Bon nombre de livraisons au Mobilier de la Couronne sont des témoignages de cette veine Louis XVI. Ainsi en est-il des réalisations de l'ornemaniste Michel-Victor Cruchet, destinées en 1856 et 1857 au petit salon de l'Empereur et au salon de l'appartement réservé aux hôtes de marque séjournant à Compiègne. En 1854, un théâtre de cour est aménagé par l'architecte Hector Lefuel dans l'aile Louis XV du château de Fontainebleau : les murs sont couverts

d'ornements peints et sculptés d'un esprit délibérément Louis XVI et les bois des fauteuils, commandés aux firmes Fourdinois et Jeanselme, sont des interprétations de modèles de Georges Jacob. C'est donc tout naturellement que le premier service, composé de trente-six carafes et de cent cinquante verres, livré en août 1855 par Charles Gallé au Grand Maréchal de la Maison de l'Empereur pour le palais des Tuileries[6], présente un décor gravé néo-Louis XVI : un médaillon, dans lequel s'inscrit le chiffre *N* surmonté de la couronne impériale, est suspendu par un nœud de ruban à une guirlande de violettes faisant bordure (fig. 1). Les violettes gravées « extra riche » réapparaissent sur le verre d'eau en cristal « mousseline » réalisé en 1861[7] à l'intention de l'impératrice Eugénie qui, fort satisfaite, le fit immédiatement placer dans ses appartements des Tuileries[8]. Ces deux exemples montrent à quel point les orientations prises par Charles Gallé – auxquelles l'avait préparé, avant son installation à Nancy en 1845, sa fonction de voyageur de commerce pour le compte d'une manufacture de porcelaine de Chantilly, la maison Bougon-Chalot – participaient du goût ambiant et combien elles étaient prisées des sphères les plus élevées de la société.

À Nancy même, la manière du XVIIIe siècle était d'autant plus goûtée qu'elle évoquait l'âge d'or de la cité, le règne de Stanislas. Ici, le goût du jour peut à juste titre se prévaloir d'un sentiment patriotique, la rencontre de la mode et du mythe s'y accomplir en toute logique. Dès le Second Empire, deux fabriques nancéiennes d'ornements moulés d'architecture intérieure, les maisons Briot-Détrois et Pillement, se spécialisent dans l'évocation de l'univers rococo. En 1861, elles suscitent l'admiration des visiteurs de l'Exposition universelle de Metz, la première par ses guirlandes avec ornements de style Louis XV destinées au décor des salles à manger, salons, chambres à coucher et cela « de la façon la plus coquette et la plus distinguée[9] », la seconde par une porte Louis XV « d'une sobriété gracieuse[10] ». Les deux

ébénistes les plus prisés du Nancy du Second Empire pastichent eux aussi les créations du XVIIIe siècle. Établi à Nancy en 1857, Mary, qui est également tapissier, est réputé pour ses canapés et fauteuils Louis XV, et Pidolot pour les fleurs et rocailles dont il surcharge ses sièges. Certains admirateurs sont pris d'une telle passion qu'ils n'hésitent pas à parfaire, dans un esprit qu'ils estiment plus authentique que l'authentique lui-même, constructions et monuments du XVIIIe siècle toujours en place. C'est ainsi que la restauration en 1851, par Lepique, de la fontaine d'Alliance, œuvre de Paul-Louis Cyfflé, mutilée lors des événements de 1848, donne naissance à une forêt de feuilles et fleurs rocaille[11]. Autre exemple : un avocat de la cour impériale et membre du conseil municipal, nommé Cabasse, qualifie l'ancien hôtel de l'Intendance civile de Lorraine, alors préfecture, de « palais défectueux », et suggère quelques modifications dans les proportions du bâtiment afin d'en faire « un véritable palais, une délicieuse bonbonnière Pompadour dans le genre de Saint-Cloud et de Meudon[12] ». Quant à Léon Mougenot, promoteur de l'idée d'un Panthéon lorrain se déployant autour de l'arc de triomphe érigé par

4

Verre d'eau livré en 1872 à Josephine Bowes, comtesse de Montalbo

Verre blanc, décor gravé

The Bowes Museum, Barnard Castle

5 et **6**

Jardinière *Le Menuet*
Le poncif des motifs centraux (ci-dessus,
à droite) a été réalisé à partir des gravures
(ci-dessus, à gauche) publiées en 1864
dans le *Magasin pittoresque*
Modèle créé vers 1868-1870
Paris, musée d'Orsay

Emmanuel Héré, il affirma péremptoirement quelques années plus tard : « À Nancy que les constructions imitent le faire des meilleurs architectes du siècle dernier[13]. »

Dans un tel contexte, se rapprocher de Saint-Clément afin d'en faire un outil de travail était de la part de Charles Gallé – rappelons qu'il vit à Nancy dans une grande maison datant de la fin du XVIIIe siècle – d'autant plus judicieux que cette faïencerie, contrairement à la majorité des établissements similaires en France, avait échappé aux destructions consécutives à la tourmente révolutionnaire. Bien qu'elle ait été fondée en 1757-1758 par Jacques Chambrette, déjà propriétaire de la manufacture de Lunéville, ce n'est qu'en 1772 – en raison d'une mésentente survenue entre les héritiers de Chambrette, qui disparaît en 1758, puis entre les actionnaires de la manufacture –

que démarre véritablement la production, sous la seule direction de Richard Mique, architecte de Stanislas puis de Marie-Antoinette. Par ailleurs, dès 1860, Charles Gallé s'adresse à la verrerie de Meisenthal, dont les baux remontaient à 1702 et qui appartenait à la famille Burgun. Épisodique au départ, cette collaboration s'amplifie sensiblement au milieu des années 1860. Grâce à Saint-Clément sans aucun doute, et dans une moindre mesure à Meisenthal, dont l'apport est plus décisif dans le domaine des savoir-faire[14] que dans celui des recherches esthétiques, les Gallé s'inscrivent le plus aisément du monde dans la tradition du XVIIIe siècle. Cependant, le matériel original dont ils bénéficient ne représente qu'une part infime de la vaste production du XVIIIe siècle. Les formes existantes, dont ils disposent à Saint-Clément, sont en effet d'un esprit plus néoclassique que rococo, et partant davantage évocatrices du Petit Trianon et de sa laiterie que de la place Stanislas et de ses ors. Et cela même si le nom et la figure de Stanislas sont maintes fois évoqués à des fins publicitaires. Aussi constate-t-on que bon nombre des nouveaux moules mis au point par les Gallé s'inspirent de la production de manufactures de faïences autres que Saint-Clément, à commencer par celui du fameux pichet *Stanislas*, qui reprend la forme d'une catégorie de brocs à cidre en usage dans la faïencerie rouennaise. Quant au non moins fameux *Service à dessert du bon Roy Stanislas*, il n'a de « Stanislas » que le nom, puisque les plats et assiettes qui le constituent sont réalisés à partir de moules Louis XVI de Saint-Clément, fortement caractérisés par leur aile ajourée imitant la vannerie, et que le décor, à la fois allégorique et végétal, est inspiré par des dicts de Lorraine et des fables de La Fontaine et Florian (fig. 3). Autre exemple : le broc de la garniture de toilette créée en 1875 sous la dénomination *Style*

Louis XV rocaille[15] a une forme rococo, dérivée des traditionnelles aiguières en casque, ignorée de Saint-Clément ; en revanche, le décor de l'un des exemplaires qui nous sont parvenus[16] présente, associée à des cartouches rocaille, une chute de fleurettes d'inspiration Louis XVI.

Lorsque l'on considère cette production des années 1860 portant la marque de Charles Gallé, il faut avoir à l'esprit que le jeune Émile y eut d'emblée sa part de responsabilité. Son père, dans une curieuse brochure élégamment imprimée en 1871 relative au service à dessert *Stanislas*, le désigne nommément comme l'auteur des dessins qui ornent le service[17]. En effet, tout en poursuivant une brillante scolarité au Lycée impérial de Nancy[18], l'adolescent fournit à l'entreprise paternelle des modèles de décors. Et cela dès 1863, ainsi qu'il l'a plus tard précisé lui-même à l'occasion de sa promotion en 1900 au grade de commandeur dans l'ordre de la Légion d'honneur[19]. Cette participation précoce explique sans

7 et **8**
Les Grenouilles qui demandent un roi et *Le Singe et le Chat*, deux poncifs pour le décor d'un service à café Louis XVI sur des thèmes inspirés par les *Fables* de La Fontaine
Vers 1868-1870
Paris, musée d'Orsay

9 et **10**

Poncifs pour le décor de la jardinière *Angot*

Modèle créé en 1873

Paris, musée d'Orsay

doute le changement stylistique qui s'opère dans la production signée Gallé, même si une part de ce changement est consécutive à l'abandon de la porcelaine au profit de la faïence. Ainsi disparaissent sensiblement les fleurs et fleurettes au naturel, en guirlandes ou en bouquets, qu'elles soient genre « Saxe », s'inspirent de la production de la manufacture de Vincennes ou se situent dans la lignée des ateliers parisiens qui se multiplièrent à la fin du XVIIIe siècle. Cet effacement se fait au profit de modèles ouvertement qualifiés de « Louis XVI ». Établie de la main de Charles Gallé lui-même, la liste des modèles[20] figurant à l'Exposition internationale qui s'ouvre à Londres en mai 1871[21] et présentant le bilan de huit années de recherches en apprend beaucoup sur les références avouées tant dans le domaine de la céramique que dans celui du verre. Sur les deux cents modèles énumérés, plus des deux tiers font allusion au XVIIIe siècle. Certains échantillons – flambeaux, lampes, consoles, encriers, miroirs, lustres, supports,

jardinières, corbeilles – sont nommément désignés comme « Louis XV » ou « Louis XVI ». Et nous savons par ailleurs qu'en ce qui concerne les services de table chiffrés ou armoriés, les formes, même si cela n'est pas précisé par Charles Gallé, sont systématiquement Louis XV tandis que la mention « à jours » ou « osier » renvoie à des formes Louis XVI.

Si cette production des années 1860 – qui survivra à la chute du Second Empire pour connaître encore de beaux jours jusqu'au milieu des années 1870 – est immédiatement reconnaissable et se distingue au premier coup d'œil des copies et pastiches de l'époque, c'est assurément à Émile qu'il faut en attribuer le mérite. Des multiples jeux mêlant interprétations et transpositions auxquels se livre ce « compositeur ornemaniste », cet « assembleur d'images[22] », se dégage une saveur inimitable. Loin de nous l'intention de nier tout ce que ces créations – des délicats paysages peints en camaïeu dans des cartels rocaille et médaillons Louis XVI aux bouquets champêtres transcrits « au naturel » – doivent aux si charmantes productions des manufactures d'Aprey, de Lyon, de Marseille, de Mennecy, de Moustiers, de Niderviller, de Sceaux et de Strasbourg. Mais plus qu'à les copier, Gallé cherche, sur un mode personnel et sensible, à en raviver le souvenir, à en restituer le parfum.

Tirons quelques exemples, parmi tant d'autres possibles, d'une production dont on ne soulignera jamais assez l'étourdissante diversité même dans le champ restreint des références au XVIIIe siècle. C'est en vain que l'on chercherait dans la verrerie de l'époque Louis XVI des motifs de dentelle. Or le verre d'eau « style Marie-Antoinette » que le jeune homme compose en 1872 pour Josephine Bowes, comtesse de Montalbo[23] (fig. 4), n'est en aucun cas un pastiche mais bel et bien une création qui fait la fierté de son auteur : « Ayant composé le dessin des formes et de la décoration, exécutée sous mes yeux par mes graveurs, j'ai

cru pouvoir signer l'œuvre. Les deux gobelets Louis XVI, placés sur leurs soucoupes, sont de petites merveilles, tout garnis de flots de vieux points de Venise, et, au travers, le sucrier est habillé de Valenciennes ; des fleurs d'oranger et guipures sur le carafon à liqueur ; sur la carafe, des nœuds de vieux rubans à picots et du chèvre-feuille[24]. » Comment l'heureuse propriétaire d'un travail si raffiné pouvait-elle résister au plaisir de s'imaginer, ne serait-ce qu'un instant, être Marie-Antoinette, et de s'identifier à l'une de ses célèbres images nées sous le pinceau d'Élisabeth Vigée-Lebrun ? De même, bon nombre de personnages masculins et féminins en costume du XVIIIe siècle, isolés ou en groupe, animant maintes faïences, ne sont en rien issus d'une production spécifique du XVIIIe siècle. Nous avons en effet découvert l'origine de tout un lot de poncifs[25] conservés au musée d'Orsay. Il s'agit du *Magasin pittoresque*, revue[26] dont Gallé, en pleine gloire, tint à rappeler, par la bouche de Charles de Meixmoron de

11

Service *Herbier*, plat à poisson
Faïence, décor en camaïeu bleu de grand feu
sur émail stannifère blanc
Modèle créé vers 1868-1870
Paris, musée d'Orsay

Dombasle, le rôle essentiel qu'elle joua dans la constitution de son capital de modèles[27] et que certains exégètes de l'artiste, égarés dans une quête pseudo-scientifique de ses sources, feraient bien de consulter plus souvent avant d'asséner leurs affirmations péremptoires. Le *Magasin pittoresque* avait en effet entrepris une histoire du costume français, illustrée de dessins de Chevignard d'après les maîtres de l'époque prise en considération. Les premières livraisons concernant le XVIIIe siècle paraissent en 1864. Leurs illustrations retinrent assurément l'attention du jeune homme, puisqu'elles apparaissent sans modification aucune sur une abondante série d'objets, dont la jardinière *Le Menuet*, exposée à Londres en 1871, mettant en scène des couples de 1762 en costume de bal, dessinés par Chevignard d'après Gabriel de Saint-Aubin et reproduits en 1864 dans le *Magasin pittoresque*[28] (fig. 5 et 6). La fidélité au XVIIIe siècle n'est pas toujours aussi franche. Lorsqu'il entreprend d'orner de sujets tirés des *Fables* de La Fontaine le médaillon des tasses, sucriers, pots à lait composant un service qualifié de *Louis XVI* (fig. 7 et 8) – à juste titre, puisque dans le cas présent il s'agit de la réutilisation d'anciens moules de la manufacture de Saint-Clément –, Gallé ne se réfère nullement aux élégantes gravures en taille douce de Charles-Nicolas Cochin d'après les dessins de Jean-Baptiste Oudry qui avaient enrichi la somptueuse édition de 1755-1759, mais leur préfère les vignettes de François Chauveau, conçues en 1668 pour l'édition des six premiers livres des *Fables*. Et cela parce qu'il estime leur maladresse et leur naïveté, naturellement voulues, leur rusticité « ésopique » particulièrement aptes à restituer l'atmosphère des collations qui se tinrent par exemple à la laiterie de Rambouillet. Ce service fait un excellent ménage avec la console d'angle présentée à Londres en 1871 connue sous le nom de *La Becquée* ou du *Nid d'hirondelles*, disponible en camaïeu de bleu ou de rose, imitant le marbre veiné et dont la base est constituée par une nichée d'hirondelles (cat. 56). C'est également du côté de Chauveau qu'il regarde pour les motifs du service de verres lui aussi consacré aux *Fables* de La Fontaine. Autre exemple de détournement particulièrement

révélateur de la démarche créatrice de Gallé : la jardinière *Angot*. En 1872, l'opérette de Charles Lecocq *La Fille de Madame Angot* remporte à Paris un succès considérable. De l'imagination de l'artiste sort immédiatement un modèle de jardinière judicieusement baptisé *Angot*, prétexte à mettre en scène Clairette, la gracieuse fleuriste héroïne de l'opérette, dont l'action se situe à l'extrême fin du XVIIIe siècle, et à composer des motifs de hottes et cages en osier garnies de fleurs des champs (fig. 9 et 10). Quant au souvenir des pimpants textiles du XVIIIe siècle, il peut se perpétuer dans les salons bourgeois de la seconde moitié du XIXe siècle non seulement par le biais des tissus qui ornent les sièges et les fenêtres mais aussi par l'intermédiaire de ces fameux chats et dogues, conçus par paires comme garnitures de cheminées, dont la production démarre en 1865[29]. En effet, certains d'entre eux, qu'ils soient mâles ou femelles, ont en guise de pelage de somptueux habits qui les font ressembler tantôt à de gracieux « petits maîtres » tantôt à de coquettes marquises douairières, tantôt encore à de vieux comtes bougonnants. Finissons cette trop brève analyse des sources en signalant qu'en 1874 Gallé compose pour un seau en verre un décor émaillé représentant une scène de vendanges calquée sur les broderies d'un gilet de son grand-père, Martin Reinemer[30].

C'est à la fin des années 1860 – en 1868 pour être précis –, si marquées par la quête de l'esprit du XVIIIe siècle, que prend forme le fameux service *Herbier*, dont l'enrichissement se prolonge jusqu'en 1876 et qui est considéré, à juste titre, comme la première manifestation artistique des connaissances botaniques d'Émile Gallé. Rappelons que l'adolescent entreprend l'étude de la botanique à l'âge de 14 ans, que ses toutes premières herborisations sont menées sous la direction de deux remarquables savants, Charles François Guibal, qui n'est autre que le petit-fils du célèbre sculpteur de Stanislas Leszczynski, et Dominique Alexandre Godron, directeur du Jardin botanique de Nancy, institution dont la création remonte à l'époque de Stanislas. Autant de circonstances qui ne peuvent que resserrer des liens avec le XVIIIe siècle déjà noués par l'éducation parentale. En effet la mère d'Émile, Fanny Gallé-

Reinemer, avait été à Nancy l'élève de Virginie Mauvais[31], qui dispensait dans l'établissement qu'elle avait elle-même créé en 1820 une éducation fondée en grande partie sur les principes naturalistes prônés par Jean-Jacques Rousseau. C'est elle, sans aucun doute, qui transmit à son fils, avec l'appui des textes de Rousseau, une vision du monde végétal fondée sur une observation à la fois scrupuleuse et sentimentale, qui était aussi celle de Bernardin de Saint-Pierre[32]. Les difficultés que l'artiste éprouva à créer de nouveaux modèles après la disparition de sa mère, qui s'éteignit le 11 avril 1891, montrent à quel point l'étude du monde floral est indissociable pour lui de l'image maternelle. Le comte Robert de Montesquiou-Fezensac et Roger Marx sont alors destinataires de pénibles aveux. « Le printemps n'a pas eu d'odeur pour moi cette année, vous savez. [...] J'ai dû faire beaucoup d'études florales, car c'est la rapide saison [...] je ne les ai pas boudées bien que, depuis, chaque petit calice fût une source de nouveau regret pour moi. Ma mère aimait, connaissait les fleurs. Elle était une pourvoyeuse affairée », écrit-il à l'un[33] tandis qu'à l'autre il déclare : « Je suis en proie à ces fleurs que ma bonne mère connaissait par leurs petits noms et qu'elle a tant aimées. Il y a peu de jours je ne pouvais en supporter la vue, et à présent la saison si courte des études florales m'oblige à vivre en leur compagnie. C'est une société sympathique, presque toutes sont des pleureuses muettes[34]. » Face au spectacle offert par la nature, cette attitude d'abandon au sentiment, considéré comme la seule véritable manifestation des lois naturelles, fait de Gallé un héritier direct du siècle des lumières. Le nom d'*Herbier* donné au service (fig. 11) évoque immédiatement la figure de Jean-Jacques Rousseau qui, comme on le sait, composa lui aussi un herbier. Ce service constitue par sa quête de la simplicité et de la « naïveté », en dépit des distances prises avec le XVIIIe siècle du point de vue de la transcription et du rendu des plantes, un des plus vibrants hommages jamais rendus au temps de la « douceur de vivre ». Roger Marx voyait juste quand il affirmait, quelques années après la disparition de l'artiste, qu'« à parcourir les champs, à se délecter de leurs spectacles, il [Gallé] paraît avoir éprouvé des émotions, telles que Bernardin de Saint-Pierre, Corot, Cazin n'en ressentirent pas de plus intenses, de plus troublantes[35] [...] » Il suffit pour s'en convaincre de se reporter au propre témoignage de l'artiste, qui en 1880 présente ainsi ses cueillettes : « Pour son service herbier Gallé parcourt chaque année la Savoie, le Dauphiné, les versants italiens des Alpes, de Pallanza à Fluelen, du Hohneck au Mont Blanc ; il apprend à connaître les localités rares. Il noue des relations avec les instituteurs botanistes des Alpes ; il est adoré des curés qui herborisent, des chasseurs d'herbes et de chamois[36]. » Le séjour effectué à Weimar de l'automne 1865 à janvier 1867 permit également au jeune homme de s'imprégner de l'atmosphère d'une autre capitale intellectuelle du XVIIIe siècle finissant, qu'avait profondément marquée Goethe. À la fin de sa vie, alors que s'accumulent les difficultés de toute sorte, à la recherche d'une « atmosphère libre et respirable[37] », il citera comme refuge idéal « la maison basse du XVIIIe siècle, la maison de Goethe, si simple, si esthétique, si lumineuse[38] ». Et c'est peut-être à Weimar plus qu'à Nancy qu'il recueillit les bribes des bonnes manières du XVIIIe siècle auprès du maître de danse dont il suivit assidûment les leçons : « donner force de ronds de jambe, entrechats et poses gracieuses, avec bouche souriante à tant de degrés, suivant la personne [...] ouvrir une porte galamment, accrocher son chapeau et étendre son parapluie gracieusement, se moucher d'une façon heureuse, inviter une dame ou une demoiselle, ce qui n'est pas la même chose[39]. »

En 1876, Gallé met un terme au développement du service *Herbier*. L'année suivante, il prend officiellement la direction des affaires paternelles et se présente aux jurys de l'Exposition universelle de 1878 sous son seul nom. Ce que nous savons de son envoi à cette manifestation montre un recul des modèles Louis XVI au profit des décors japonais et persans, faisant bon ménage avec les fleurs et ornements néo-Louis XV toujours très prisés du public et de la clientèle, mais que condamne à l'unanimité la critique. Gallé tente de leur tourner le dos, non sans difficultés en ce qui concerne l'ébénisterie, qu'il a abordée en 1884. En revanche, la réussite est éclatante dans le domaine du verre. Là, les décors naturalistes exaltés par un somptueux matériau devenu poésie ne doivent plus rien aux leçons du passé. En 1900 cependant, au faîte de sa renommée internationale, le verrier décide, pour les présenter dans la section de l'Histoire du verre français, de rééditer les myosotis et rubans bleus et roses de ses premiers décors (cat. 59). Sans doute l'industriel se devait-il de rappeler l'ancienneté de ses recherches, mais l'homme souhaita certainement se remémorer par la même occasion l'heureux temps où il offrait à celle qui devait devenir son épouse une de ces délicates pièces (fig. 12),

suggérant une époque qu'il ne croyait pas révolue, celle de la « douceur de vivre » : « [...] je vous demande grâce pour la modestie de mon offrande, au nom des forget-me-not qui en font la décoration principale. Si cela peut vous intéresser, je vous apprendrai que cet objet est fait suivant les procédés de Murano de Venise, mais que la forme et le décor sont Louis XVI ; cette industrie est du pays ; ce sont des verriers des environs de Bitche qui font ces travaux sur mes dessins. N'est-ce pas qu'on ferait une jolie chambre dans ce goût, – pas en verre[40] ! »

1. Manuscrit conservé au musée d'Orsay. **2.** *Exposition universelle de 1878. Notice concernant l'Exposition de M. Gallé, de Nancy, exposant classe 20,* Nancy, E. Réau. **3.** Voir le dossier rempli par l'artiste le 28 juillet 1900 en vue de sa promotion au grade de commandeur dans l'ordre de la Légion d'honneur (Paris, Archives Nationales). **4.** Sur les évocations mobilières contenues dans *La Comédie humaine,* voir CLOUZOT, 1925, p. 18-53. **5.** Le comte Horace de Vieil-Castel rapporte (VIEIL-CASTEL, 1884, p. 27) que l'impératrice l'avait chargé de rechercher des objets ayant appartenu à Marie-Antoinette ou ayant un rapport avec elle. Cette passion était fréquemment dénigrée, notamment par la princesse Mathilde, cousine de Napoléon III, dont Edmond et Jules de Goncourt rappellent cet éclat : « Et ce culte pour Marie-Antoinette ! Est-ce bête, ridicule, indécent ! » (GONCOURT, 1957, p. 126.) **6.** De 1861 à 1868, les commandes passées à Charles Gallé pour le palais des Tuileries, mais également pour les châteaux de Compiègne, Fontainebleau et Saint-Cloud, ainsi que la résidence de Biarritz, se suivent à un rythme annuel (Paris, Archives Nationales), Charles Gallé ayant fini par éliminer ses concurrents parisiens, les maisons Le Guerriez Frères et Alfred Poulin. En 1866, il obtient le titre honorifique de fournisseur de la Maison de l'Empereur. **7.** Le verre d'eau, qui apparaît au début du XIXe siècle, est un ensemble destiné à la consommation d'une eau parfumée ; il est composé d'une carafe, d'un ou de deux verres, d'un flacon à eau de fleur d'oranger et d'un sucrier posés sur un plateau. Avant d'être livrées à l'impératrice en août, les pièces avaient été présentées à l'Exposition universelle de Metz (voir LEMACHOIS, 1862, p. 226). Charles Gallé reçut pour son envoi à cette manifestation une médaille d'argent. **8.** Voir la lettre de Monavon, contrôleur du palais, à Charles Gallé, Paris, 13 décembre 1861 (Paris, Archives Nationales). **9.** LEMACHOIS, 1862, p. 292. **10.** *Ibid.,* p. 294. **11.** Cette intervention ayant cependant été jugée excessive, il fut décidé en 1888 de procéder à une restitution plus orthodoxe. **12.** CABASSE, 1854, p. 10. **13.** MOUGENOT, 1861, p. 19. **14.** Émile Gallé considérait Mathieu Burgun, directeur de la verrerie depuis 1855, comme son véritable maître, ainsi qu'en témoigne cette déclaration de 1885 lors de sa nomination au grade de chevalier de la Légion d'honneur : « En ce qui concerne la récompense exagérée et inattendue que le ministre des Beaux-Arts m'a décernée pour avoir appliqué à des matières splendides que j'aime passionnément, le verre, l'émail, mes rêvasseries d'école buissonnière, si j'ai pu réaliser cette application, c'est au vieux verrier, c'est à son enseignement et à sa bienveillance, à sa libérale et paternelle bonté que je le dois. » (Paris, musée d'Orsay.) **15.** Deux modèles sur papier en sont conservés, l'un daté du 15 avril 1875, au musée de l'École de Nancy, l'autre au musée d'Orsay. **16.** Celui qui est conservé au Württembergisches Landesmuseum de Stuttgart. **17.** Voir *Texte composé par Gallé-Reinemer aux Allégories et Dicts de Lorraine dessinés pour le Dessert du Bon Roy Stanislas par Émile Gallé.* **18.** Elle s'achève en 1865 avec l'obtention du baccalauréat ès-lettres. **19.** Dans les formulaires qu'il remplit et signe à cet effet le 28 juillet 1900, il se dit « coopérateur – artiste de Gallé – Reinemer, son père » à partir de 1863 (Paris, Archives Nationales). **20.** Le document, exactement intitulé *Référence des Échantillons expédiés à l'exposition de Londres 1871,* est conservé au musée d'Orsay. **21.** Pour représenter son père qui expose à la section *Art de France* dont l'organisation incombait à Edmond du Sommerard, l'éclairé conservateur du musée de Cluny, Émile séjourna à Londres de mai à octobre 1871. **22.** C'est en ces termes que Gallé lui-même se présente dans son discours de réception à l'Académie de Stanislas le 17 mai 1900 (GALLÉ, 1900, p. 4). **23.** Aujourd'hui conservé au Bowes Museum, Barnard Castle. **24.** Lettre de Gallé à Josephine Bowes, Nancy, datée du 12 septembre 1871 (The Bowes Museum, Barnard Castle). **25.** Les poncifs ou piqués étaient exécutés à la machine à coudre sur de fines feuilles de papier blanc superposées ; ils étaient distribués aux exécutants des décors sur verre et sur faïence qui reproduisaient les motifs à l'aide d'un tampon recouvert de noir de fumée ou d'une autre poudre. **26.** Charles Gallé était abonné à cette revue hebdomadaire à vocation d'encyclopédie populaire créée en 1833. **27.** « Le soir, vous feuilletiez à la table de famille les volumes illustrés qui ont charmé tant de jeunes curiosités, le *Magasin pittoresque,* dont vous aimez comme notre Grandville, à vous dire l'élève. » (*Académie [...],* 1900, p. 8.) **28.** Anonyme, « Histoire du costume en France. Suite du règne de Louis XV », *Magasin pittoresque,* n° 42, octobre 1864, p. 333. **29.** Dans une lettre adressée le 28 décembre 1894 au graveur et illustrateur Jules Adeline, auteur d'un petit ouvrage intitulé *Le Chat d'après les Japonais,* publié en 1893, Gallé situe la création du modèle en ces termes : « C'était bien avant la venue de l'Extrême-Orient, au sortir d'une rhétorique et de deux philosophies » (lettre citée in ADELINE, 1902). **30.** Voir CHARPENTIER, 1978, p. 108. **31.** Gallé bénéficia dans sa petite enfance des leçons de Virginie Mauvais. Lorsque celle-ci fut nommée, à l'âge de 92 ans, officier de l'Instruction publique, il lui adressa le 3 janvier 1890 une lettre dans laquelle il exprimait ses « vœux pour que vos enseignements nous soient donnés longtemps encore et que mes filles les puissent encore entendre » (collection particulière). **32.** Dans une lettre datée du 4 avril 1904, Gallé remercie Roger Marx d'avoir évoqué, à propos de son œuvre, la figure de « ce cher Bernardin de Saint-Pierre, l'homme au fraisier » (collection particulière). **33.** Lettre de Gallé à Montesquiou, Nancy, datée de mai 1891 (Paris, Bibliothèque nationale de France, département des Manuscrits). **34.** Lettre de Gallé à Marx, Nancy, datée du 25 mai 1891 (collection particulière). **35.** MARX, Roger, « Émile Gallé. Psychologie de l'artiste et synthèse de l'œuvre », *Art et Décoration,* août 1911, p. 241. **36.** GALLÉ, Émile, *Emploi de la botanique pour la décoration des fayences,* texte rédigé en 1880, tout comme la note de Charles Gallé citée plus haut, à l'occasion du procès pour contrefaçon contre les propriétaires de la manufacture de Lunéville. **37.** Lettre de Gallé à Roger Marx, Luxembourg, datée du 6 janvier 1904 (collection particulière). **38.** *Ibid.* **39.** Lettre de Gallé à Charles et Fanny Gallé-Reinemer, Weimar, datée du 2 février 1866 (archives privées). **40.** Lettre de Gallé à Henriette Grimm, Nancy, datée du 16 mars 1875 (archives privées).

12

Verre d'apparat à décor de myosotis offert
en 1875 par Émile Gallé à Henriette Grimm
Verre blanc, filets vénitiens, décor émaillé
et peint
Collection particulière

1
Louis Majorelle
Table papier roulé
Reproduite dans Jules Royer, *L'Industrie des arts décoratifs à Nancy*, planche 5
Nancy, bibliothèque municipale

Regards sur le passé : Louis Majorelle et le XVIIIe siècle

Roselyne Bouvier

Si l'on se réfère à la création des ensembles mobiliers qui ont fait et perpétuent la renommée de Louis Majorelle (1859-1926), on constate assez facilement que les meubles les plus connus, censés signifier au mieux son style, sont les célèbres ensembles en acajou et bronze, au décor de nénuphars, montrés pour la première fois à l'Exposition universelle de Paris en 1900. Un œil plus averti pourrait y ajouter les nombreux petits meubles marquetés au décor naturaliste, dans la lignée de la production d'Émile Gallé, et très caractéristiques du style École de Nancy. Mais cette création n'est pas de génération spontanée. L'histoire de la famille Majorelle sur trois générations d'artistes décorateurs – presque un siècle – déborde largement le champ de l'École de Nancy et celui, plus général, de l'Art nouveau. Elle prend racine dans le contexte du dernier tiers du XIXe siècle. Ancré dans une tradition familiale jamais dénoncée mais plutôt dépassée, voire surpassée, le style Majorelle revendique l'influence du passé, et cela pour plusieurs raisons.

Louis Majorelle reprend très jeune (vers 1882) les rênes de la petite entreprise familiale, et il apprend son métier d'ébéniste auprès des ouvriers compagnons de son père. Quand il transformera l'atelier en une manufacture organisée et rationnelle, produisant des meubles en série, il se souviendra de la leçon paternelle et de la tradition artisanale. L'utilisation de la machine dans l'entreprise permettait de simplifier les tâches les plus ingrates (préparation, sciage, tournage...), à charge pour l'exécutant, l'ouvrier artisan, de réaliser la finition qui donnait au meuble son identité. Ce rapport à l'objet, à l'objet d'art pourrait-on dire, est une constante du processus créatif de Louis Majorelle. Il ne s'agit plus de créer un chef-d'œuvre unique mais de le concevoir pour une application industrielle et en favoriser la reproduction ultérieure. Une démarche tout à fait dans l'air du temps que cette coexistence du travail manuel et du travail mécanique qui prend en compte une dimension créative née de la formation et de l'apprentissage des ouvriers.

Cette attention au passé ne se limite pas au domaine de l'organisation relationnelle de l'atelier, elle est aussi au cœur de la formation stylistique de Louis Majorelle : dans la copie et le pastiche tout d'abord, pour se dégager et élaborer un nouveau langage personnel ensuite, sans jamais renier l'influence des styles du XVIIIe siècle qu'il connaissait si bien. Il faut dire aussi que le cadre architectural de Nancy se prêtait à l'analyse du motif et à sa possible adaptation dans le décor. Ce sont ces différentes sources, réminiscences du passé, qui sont aujourd'hui présentées dans l'exposition du musée de l'École de Nancy, « Couleurs et formes ». Elles scandent régulièrement la production Majorelle de 1882, date du premier meuble connu décoré au vernis Martin, jusqu'en

1912 au moins, quand la mode permit de revisiter le style Louis XVI (cat. 69). La copie de style sera pratiquée sans discontinuité, et présentée aussi dans les expositions. Nourri de toutes ces influences, Louis Majorelle saura en jouer, assimiler l'essentiel du passé pour élaborer les bases d'un nouveau langage décoratif et créer un style propre, le style que l'on repère aisément aujourd'hui.

L'art de l'Orient n'était pas une nouveauté pour l'Occident en cette fin du XIXe siècle. Exportés en grande quantité dès la fin du XVIe siècle mais surtout au XVIIIe siècle, les objets chinois ou orientaux ont permis aux artistes décorateurs de se faire de l'Orient une vision assez fantaisiste. Le style rococo, référence primordiale pour les ébénistes à cette époque, avait en son temps incorporé des motifs orientaux.

C'est à cette double influence qu'Auguste Majorelle (1825-1879) doit le succès de son commerce, développé à Toul à partir de 1858. Formé à Lunéville, à l'ancienne Manufacture Royale, au métier de peintre décorateur sur faïence, il commercialise très tôt des faïences réalisées d'après des moules du XVIIIe siècle et décorées par ses soins. Mais c'est son talent de dessinateur qui décida de sa carrière et le fit remarquer des dirigeants de la manufacture de Toul-Bellevue. Pendant plus de vingt-cinq ans, il travailla en étroite collaboration avec Sigisbert Aubry, jusqu'en 1858, puis avec son fils Jules, qui lui succéda en 1860, leur offrant sa capacité à concevoir des dessins ornementaux, fleurs, oiseaux, motifs décoratifs ou scènes figuratives plus élaborées (cat. 58), servant de modèles au décor peint de vases, potiches et objets divers. Une question reste en suspens : quelles étaient ses références plastiques ? Les quelques pièces

2
Auguste Majorelle
Table à thé pour l'Escalier de Cristal
en bois noirci, décor d'oiseaux
et de papillons façon laque
Catalogue de vente, Me Boisgirard, Paris,
Hôtel Drouot, 28 juin 1995, lot n° 300

que nous connaissons[1], issues d'une production certainement plus prolixe, nous renseignent, tout comme les catalogues de vases et d'articles d'ornement édités à Toul-Bellevue, malheureusement non datés, nous instruisent sur la variété des modèles de vases, jardinières ou autres objets. Durant les deux années qu'il passe à Toul (1858-1860), Auguste Majorelle exerce la double activité de décorateur et de commerçant, mais il élargit

3
Jane Kretz-Majorelle (Jika) photographiée
dans sa maison, vers 1903-1905
Album Jacques Majorelle
Nancy, musée de l'École de Nancy

surtout le champ de ses compétences en appliquant un décor peint sur des bâtis de meubles réalisés par des menuisiers. Il n'a dans ce domaine aucune connaissance spécifique. C'est, en fait, un type de décor mis au point sur de petits objets en faïence (cat. 6 et 7) qu'il souhaite expérimenter sur d'autres supports : le décor « laqué » à la manière du vernis Martin[2]. Il s'agit d'une technique redécouverte à la fin du XIXe siècle et remise à la mode par quelques ébénistes parisiens du faubourg Saint-Antoine, comme les établissements Krieger, Damon et Cie[3], ou la maison Sormani[4]. L'antériorité des recherches d'Auguste Majorelle est évidente. Si nous ne savons pas grand-chose de sa formation à Lunéville, où sa famille est installée depuis plusieurs générations, la tradition fait état de l'existence d'un atelier d'ébénisterie, créé en 1721 par Jean Diurande qui, pour satisfaire les commandes de Stanislas, pratiquait la méthode du vernis « à la chinoise[5] ». Majorelle ne pouvait l'ignorer ; il en reprend avec intelligence la technique. En 1861, à l'exposition de Metz, il se fait remarquer par l'envoi de meubles, chaises, tables à ouvrages en imitation de laque. Or, il apparaît que cette technique du décor laqué s'est développée surtout dans les années 1880-1900[6], faisant la fortune de quelques fabricants parisiens comme Joseph-Emmanuel Zwiener[7], Gabriel Viardot[8] ou François Linke[9]. La notoriété et l'activité de ces grands fabricants, joignant des magasins de vente à leurs ateliers, sont une vraie concurrence pour l'ébéniste maintenant nancéien (depuis 1860) et le pousseront à déposer successivement trois brevets d'invention, en 1864, 1876 et 1878, le dernier[10] spécifiant un « genre de décoration mixte applicable aux meubles sculptés et de fantaisie », combinant l'incrustation de faïence, porcelaine, cristal ou biscuit avec le décor polychrome de la laque[11]. La spécificité d'une nouvelle technique, inventée au vrai sens du terme, ainsi que la reconnaissance de ses contemporains à Metz en 1861, ont joué sur son orientation de plus en plus affirmée vers la production de meubles laqués aux dépens de la céramique (fig. 2). Auguste Majorelle dut être convaincu, à une époque où l'originalité était souvent synonyme de notoriété, d'avoir innové, d'avoir découvert un savoir-faire, comme au

4

Papier à en-tête de la Maison Majorelle Frères, utilisé jusqu'en 1899 Nancy, archives municipales, dépôt Société Lorraine des Amis des Arts et des Musées

temps du compagnonnage, tradition forte dans les métiers du bois[12]. L'extraordinaire piano à queue présenté à l'Exposition universelle de Paris en 1878 (cat. 2) témoigne d'une technique parfaitement maîtrisée mais aussi de la vogue du japonisme. Les références sino-japonaises restent cependant assez confuses, et la récompense obtenue est liée sans nul doute au travail décoratif. L'application d'éléments ornementaux – oiseaux, plantes aquatiques ou fleurs – en pâte faïencière modelée donne à l'ensemble un aspect très coloré et vivant. S'y ajoute, dans les motifs ornant le porte-partitions, l'évocation du XVIIIe siècle. L'originalité de ce mode décoratif et la date précoce de son invention n'échappent pas à Émile Gallé (1846-1904). Il vient de reprendre la

5
Auguste Majorelle
Crayon (graphite) sur papier
Étude d'une console
Nancy, archives municipales

direction de l'affaire familiale et s'inquiète de l'origine des décors sur faïence en Lorraine. Il demande à Gengoult Prouvé (1830-1883) de lui confirmer que c'est bien Auguste Majorelle « qui a fondé à Toul, à ses risques et périls, le premier atelier de peinture sur crû[13] ». Mais la confrontation entre Émile Gallé et Louis Majorelle (à la tête de l'entreprise familiale en 1882) se fera sur le terrain de l'ébénisterie[14].

S'il est normal, compte tenu de l'héritage familial, que le jeune Louis Majorelle ait développé la production de meubles au décor japonisant et la technique du décor laqué (cat. 3), on peut s'étonner de la décision d'Émile Gallé de créer, de toutes pièces et a priori sans la moindre compétence, un atelier d'ébénisterie d'où sortiront des meubles eux aussi décorés façon vernis Martin. Le rapprochement n'a pas échappé à leurs contemporains. Ainsi l'imprimeur nancéien Jules Royer (1845-1910)

édite-t-il, vers 1885-1889, un port-folio[15] où sont reproduites des planches illustrées de meubles au décor laqué fabriqués par Majorelle et Gallé (fig. 2). Doit-on en déduire que ce projet éditorial a pour vocation d'éclairer sur le meuble artistique à Nancy dans les dernières années du siècle ? L'un est passé maître dans la conception du meuble, tandis que le décor laqué reprend des motifs orientalisants sans grande nouveauté. L'autre paraît plus gauche dans la construction du meuble – mais ce n'est pas sa formation initiale – et manifeste un intérêt évident pour une recherche plus originale de décor naturaliste. Celui-ci abandonnera assez rapidement la technique du vernis Martin, tandis que celui-là maintiendra la production héritée de son père au moins jusqu'en 1894.

L'Escalier de Cristal, célèbre marchand-éditeur d'objets d'art, spécialisé dans le commerce des verreries, céramiques et bronzes, a participé lui aussi au développement du mouvement japonisant. C'est dans cette perspective que ses dirigeants, les frères Pannier, étendent à partir de 1891 la fabrication et le commerce aux meubles de fantaisie et font appel, entre autres, au spécialiste des vernis Martin qu'est Louis Majorelle. Il fournit le modèle d'un « meuble vieux Chine » avec panneaux laqués or et peintures chinoises[16]. Il ne reste que peu de meubles de cette période orientalisante. Les seules sources sont documentaires mais elles nous renseignent sur le type de décor pratiqué dans les ateliers nancéiens ; il n'a guère changé depuis les années touloises. En fait, le but poursuivi par Louis Majorelle était la création de petits meubles de fantaisie dans le genre qui avait fait la renommée de son père, ce que nous confirme un cliché[17] (fig. 3), pris vers 1903-1905, où l'on voit l'aménagement d'un petit salon chinois dans sa maison, la Villa Jika, rue du Vieil-Aître. En 1894, à l'Exposition d'art décoratif industriel lorrain, le public de Nancy salue le premier meuble marqueté à décor naturaliste mais retrouve avec plaisir les bahuts et les écrans en vernis Martin. Louis Majorelle a sans doute acquis la maîtrise d'une technique très en vogue en cette fin de siècle, mais le répertoire des motifs exotiques cher au XVIIIᵉ siècle ne semble pas l'intéresser. Il dirige ses ambitions de créateur

6

Auguste Majorelle

Console Louis XV, vers 1866

Nancy, hôtel de ville, salon de l'Impératrice

vers la connaissance des styles classiques, en particulier les styles Louis XV et Louis XVI, dont il lui faudra aussi se dégager pour inventer son nouveau style.

Le concept de nouveauté n'implique pas forcément une rupture totale mais la transformation des formes par un processus de développement progressif. L'idée d'Art nouveau, du point de vue terminologique, était fondée sur la nouveauté, et ses chefs de file se sont souvent réclamés du monde moderne, industriel et commercial. On sait aussi qu'ils n'ont cessé d'interroger l'histoire, non pour rendre hommage à la tradition mais dans le cadre d'un processus de création prenant appui sur des réalisations de qualité, pour élaborer un nouveau langage décoratif. À ce titre, l'itinéraire stylistique de Louis Majorelle jusqu'en 1954, date de la fermeture des ateliers, est significatif. La copie de style y fut pratiquée sans discontinuité, maintenant une certaine tradition de l'ébénisterie et de la menuiserie. Cependant, les enjeux se situaient aussi du côté de la recherche d'une nouvelle esthétique qui devait se nourrir, sans le pasticher, du passé. Aussi le

témoignage du choix d'un graphisme ostentatoire pour un papier commercial et utilitaire, sous le titre *Objets d'art Majorelle Nancy*, mêlant confusément des motifs empruntés à des sources aussi différentes que possible, indique que ce n'était pas chose facile (fig. 4). L'éclectisme est à la mode et les styles sont largement copiés. À Nancy, le cadre architectural du XVIIIe siècle est une référence incontournable car il évoque l'âge d'or de la cité, sous le règne de Stanislas Leszczynski, roi de Pologne devenu duc de Lorraine. Les références à son époque ne cesseront de se multiplier, d'autant qu'il était particulièrement juste de se prévaloir d'un sentiment patriotique teinté de lotharingisme. Pour Louis Majorelle, le modèle le plus favorable à son apprentissage des styles fut tout d'abord le cadre nancéien au travers du prisme des expériences paternelles.

Si la ville de Stanislas a servi d'exemple à toute une génération de décorateurs, c'est surtout dans les résidences ducales de Lunéville, La Malgrange et Commercy, que les arts décoratifs ont surpris, à l'époque, par l'exubérance de leur fantaisie, la richesse de leur ornementation. Durant tout

7

Louis Majorelle

Bureau Louis XV

Revue illustrée, 15 novembre 1887, p. 351

le XVIIIe siècle, ornemanistes et décorateurs sont restés attachés au décor Louis XV que Stanislas a encouragé par de nombreuses commandes d'objets prestigieux.

L'hôtel de ville, sur la place royale de Nancy, a été construit par Emmanuel Héré en 1752 dans un style classique relativement sobre qui contraste avec la décoration intérieure. Devenu propriété de l'État en 1851, il a conservé pour partie sa structure ancienne. Les appartements de Stanislas ont disparu, laissant la place à un grand salon entièrement réhabilité et aménagé en 1866, où tout le faste clinquant du Second Empire se déploie[18]. À son extrémité, le petit salon dit de l'Impératrice rappelle la visite que l'impératrice Eugénie fit à Nancy en 1866, lors des fêtes du centième anniversaire du rattachement de la Lorraine à la France. C'est dans ce contexte que fut commandé à Auguste Majorelle un mobilier de salon en bois sculpté et doré – de style Louis XV, évidemment. Nous possédons le dessin original[19] (fig. 5) d'une des consoles, toujours en place (fig. 6) ; l'élégance des volutes du piétement rappelle la somptuosité du mobilier Stanislas et celle des motifs des

rampes et grilles en fer forgé doré de Jean Lamour. Vingt ans plus tard, en 1886, ce sont les mêmes références qu'utilise Louis Majorelle pour décorer un écran de style Louis XV. On retrouve le motif rocaille dans le cadre en bois sculpté et doré. Les panneaux décorés et signés des frères Voirin retracent des scènes galantes sur le fond architectural de la place Stanislas, les revers étant décorés de motifs exotiques en vernis Martin (cat. 15)[20]. Le succès de cet objet fut grand, comme l'attestent les nombreux articles parus dans la presse locale. D'abord parce qu'il s'agit d'une commande royale, celle de la Cour de Hollande, mais surtout parce qu'il incarne aux yeux des Nancéiens la manière du XVIIIe siècle, de ce XVIIIe siècle aimable et pittoresque qu'exaltaient alors les Goncourt.

Dans le même temps, l'artiste doit se confronter à un autre public, celui des expositions parisiennes. La référence régionaliste n'y est pas de mise. La copie des styles français issus du faubourg Saint-Antoine sert d'exemple et il lui faut réaliser des meubles exceptionnels pour se faire reconnaître. En 1887, à l'exposition organisée par l'Union centrale des arts décoratifs au palais de l'Industrie, Louis Majorelle expose, entre autres meubles de style, un bureau Louis XV (fig. 7) « véritablement suggestioneur, comme on dit en notre fin de siècle ; il évoque à lui tout seul toutes les Orangeries du temps passé, tous les départs pour Cythère ; c'est là-dessus qu'on formule le programme de la Fête galante, et c'est dans le tiroir minuscule qu'on enferme l'invitation à ce bal poudré où l'on devra danser un menuet, écrit tout exprès pour nous par Mozart[21] ». Une évocation nostalgique qui exprime aussi les sentiments d'une société en quête de références.

Toutefois, les ébénistes que sont Louis Majorelle et Émile Gallé ont parfaitement conscience que l'imitation des styles du passé ne doit pas tomber dans la copie servile mais au contraire permettre de créer des meubles aussi prestigieux que ceux des grands ébénistes d'autrefois.

C'est chose faite à la grande manifestation parisienne de 1889, qui les réunit pour la première fois et les confronte aux grandes maisons parisiennes[22]. Émile Gallé, peu soucieux de rivaliser avec Louis Majorelle, connu pour être l'un des artistes les plus talentueux dans la technique du vernis Martin, s'abstient d'exposer des meubles laqués. Dans la notice adressée aux membres du jury du mobilier, il explique qu'il présente « quatorze œuvres variées où vous trouverez l'éclectisme le plus large, tantôt une entière abstraction des styles, tantôt l'affirmation que je ne méconnais pas leur valeur, lorsqu'elle peut s'appliquer sans inconvénient à nos usages[23] ». La grande jardinière rocaille Flora Marina, *Flora exotica* (cat. 42) est l'exemple le plus convaincant de cet éclectisme par les emprunts au style Louis XV rococo : pieds en dauphins, coquilles, volutes, courbes et contre-courbes. Pour autant, Gallé reste indépendant : « de même, et dussé-je, par mes licences avec les styles, vous déplaire, je n'ai voulu prendre du Louis XV que les souliers à boucles et ce qu'il faut de poudre pour faire admettre, dans le bal costumé et bariolé de nos salons modernes, mon amour provincial des champs et des bois, et avec eux, mes bronzes d'application, modernes de dessin et de couleur. » Ses préoccupations se situent donc davantage dans la quête de la nouveauté.

Le propos de Majorelle est, lui, tout autre. Il présente, à l'exposition, des meubles, véritables prouesses techniques, alliant le savoir-faire et la richesse du décor, des œuvres pouvant supporter la comparaison avec les réalisations anciennes, et, au dire de la critique, « conçues dans ce beau style Louis XV, dont l'ancienne capitale de Stanislas le Bienfaisant fournit tant de spécimens admirables[24] ». Convaincu, lui aussi, de la nécessité du changement, il adoptera les principes naturalistes de Gallé à partir de 1894, et deviendra rapidement l'un des chefs de file du style Art nouveau. Mais il n'abandonnera pas pour autant la copie des styles Louis XV et Louis XVI[25]. Une production certainement abondante, connue essentiellement par des photographies anciennes d'objets exposés aux salons et expositions ou comme ce meuble de style néo-Louis XVI (cat. 68) dont le vantail est peint d'une scène galante à la manière de Boucher. Conservé dans une collection du nord de la France, il a vraisemblablement été acquis à Lille dans une des succursales de vente des magasins Majorelle[26]. Louis Majorelle ne désavoua jamais cette pratique. Elle figure en bonne place dans les expositions parisiennes[27] ainsi que sur les catalogues commerciaux. C'est chose courante à l'époque, la clientèle existe. Mais c'est aussi pour l'entreprise le moyen d'avoir une rentabilité permettant l'expérimentation de nouveaux modèles. L'association de Louis Majorelle et de son frère Jules, directeur commercial, a certainement joué un rôle non négligeable dans la production régulière de meubles de style pour le marché de l'époque. L'idée de réussite fut liée à l'application de principes et de méthodes qui régissaient la bonne marche de l'établissement. La direction bicéphale de la maison Majorelle, sur des territoires séparés – artistique et commercial – a contribué à la réussite de son développement. Ce que Gallé n'a pu s'empêcher de constater.

Pour autant, la connaissance des styles du XVIIIe siècle ne s'est pas limitée à la production de copies. Elle est aussi à la base de la conception et de l'élaboration de son nouveau style. Dès 1894, la recherche de la forme est annoncée. Ainsi en est-il d'un petit meuble de salon en bois sculpté et rehaussé d'un décor peint de scènes à la Watteau (fig. 8). Ce qui frappe, c'est la sujétion du

8

Louis Majorelle

Meuble-vitrine, peintures vernis Martin

Catalogue de vente, Mes Japhet, Nice,

15 mars 1990

décor à la forme générale, élégante et souple. Progressivement, Louis Majorelle va s'affranchir de la leçon du passé. Convaincu que le meuble moderne ne peut fraterniser avec le meuble ancien, il lui faut éliminer toute trace du passé. De là date la double production clairement distincte : de style ou moderne. Tenté d'abord par le décor naturaliste et l'emploi de la marqueterie, à usage narratif, il va peu à peu s'en dégager et soumettre toute fantaisie décorative à une logique de construction. Un petit bureau de dame de 1901 (fig. 9) est typique de sa nouvelle manière. La représentation de la nature y est limitée à quelques détails, le dessin des formes l'emporte, les lignes architecturales se lient dans un mouvement souple, élégant et mesuré. Cette primauté de la forme va dorénavant qualifier les plus belles réalisations issues des ateliers nancéiens, le mobilier devient une architecture où la structure reste lisible. Et c'est la parfaite connaissance qu'il avait des styles du XVIIIe siècle qui lui a permis d'intégrer ce sentiment de mesure et d'élégance : l'histoire au service de la modernité. Gabriel Mourey, dans une conférence prononcée à Bruxelles en décembre 1898, l'avait prédit : « Et qu'on ne vienne surtout pas invoquer contre ce retour à l'esprit du XVIIIe siècle que je propose comme remède à l'état d'anarchie où nos arts industriels se débattent, l'objection d'être un obstacle à la marche en avant et à la nouveauté. Encore une fois, ce n'est pas la copie des styles de jadis que je prêche, mais la renaissance de la liberté, de la souplesse d'inspiration qui les caractérise[28]. »

1. Conservé au musée de Toul, un poêle hexagonal polychrome à décor de rinceaux et de feuillages, surmonté d'un vase décoratif orné d'une scène mythologique, en est un bon exemple. **2.** PHÉNAL, 1890-1891. **3.** L'histoire de cette Maison est comparable à celle de Majorelle sur bien des points : son développement industriel (après des débuts modestes à Strasbourg, en 1835, avec Antoine et Nicolas Krieger, elle se développe rapidement dès son installation au faubourg Saint-Antoine sous la direction de leurs gendres Damon et Colin), l'organisation de ses ateliers et la pratique de la division du travail, la présence aux expositions, sa longévité (de 1850 à 1930 approximativement), la production de meubles de style ainsi que l'application du fameux vernis Martin. **4.** Connue dès 1847, elle se développe surtout à partir de 1867. **5.** HUMBERT, 1993, p. 175. **6.** Christopher Payne, (PAYNE, 1981) liste un certain nombre de meubles décorés en vernis Martin et réalisés pour la plupart entre 1880 et 1910. **7.** Né en Allemagne en 1849, il est installé rue de la Roquette de 1880 à 1895. **8.** Né en 1830, décédé en 1906, il se spécialise dans les meubles d'inspiration chinoise de forme « pagode ». **9.** Né en 1855, décédé en 1946, il commence à travailler vers 1880. **10.** Paris, Institut national de la Propriété artistique, brevet n° 123 198. **11.** Les analyses réalisées en 1998 par le Laboratoire de recherche des musées de France sur des faïences d'Auguste Majorelle au musée de Toul ont permis de comprendre leur mode de fabrication (voir Toul, 1999). Il reste à faire le même travail sur des meubles laqués. **12.** Quelques interviews d'anciens ouvriers, réalisés au début de nos recherches, ont confirmé cette idée qu'une tradition orale du métier était toujours en vigueur dans les années vingt et trente. **13.** Lettre datée Nancy, 1er mars 1880, Paris, musée d'Orsay. **14.** BOUVIER, THIÉBAUT, 1999, p. 155-167. **15.** ROYER, s. d., recueil factice de 62 phototypies : 16 planches pour Gallé, 17 pour Majorelle, 14 sont des illustrations de grilles en fer forgé de Zimmermann-Perrin, 14 sont consacrées à des broches, médailles et objets religieux sans indication, et 1 planche sur des broches de Kauffer (conservé à la bibliothèque municipale de Nancy). **16.** THIÉBAUT, 1989. **17.** Album photographique Jacques Majorelle, Nancy, musée de l'École de Nancy, inv. 003.7.1. **18.** CHOUX, 1966, pp. 19-32. **19.** Archives municipales de Nancy, I 7 (1866), dessin original annoté « 500 fr les deux sans le marbre ». **20.** Ce paravent appartient à l'ensemble de meubles commandés par la reine de Hollande en 1886-1888 pour le château Het Loo. **21.** GOUDEAU, 1887. **22.** Signalons, entre autres, un monumental escalier exécuté par Damon pour la maison Krieger, un lit de Fourdinois pour la maison Schmitt et Cie, un extravagant coffre à bijoux composé par Zwiener et les meubles chinois de Viardot et Cie. **23.** GALLÉ, 1998. **24.** HAVARD, 1889, à propos de l'extraordinaire lit en forme de traîneau, de style Louis XV, décoré de panneaux peints sur fond or d'après Watteau. **25.** La marqueterie Boulle connaît elle aussi un regain de faveur au milieu du XIXe siècle. Nous connaissons l'existence d'un meuble fabriqué chez Majorelle, en poirier noirci incrusté de laiton, copie conforme d'un autre meuble, non signé, des collections du musée des Arts décoratifs, lui en palissandre incrusté d'étain, conçu vers 1860 dans un esprit Louis XVI édulcoré. **26.** Le magasin, installé 55, rue Esquermoise, fut ouvert de 1908 à 1920. **27.** Particulièrement au deuxième Salon des industries du mobilier, à Paris en 1905. **28.** MOUREY, s. d., p. 50.

9

Louis Majorelle

Bureau de dame

L'Art décoratif, octobre 1901, n° 37, p. 24

1

Eugène Vallin

Immeuble 6, boulevard Lobau

Nancy, musée de l'École de Nancy

L'architecture de l'École de Nancy et le XVIIIe siècle, filiation, lapsus et compromis

Jean-Claude Vigato

L'architecture de l'École de Nancy se fonde sur des valeurs anti-classiques. Si on ne peut la confondre avec le néogothique, son adhésion aux valeurs et principes relevant de la tradition gothique est incontestable. La lettre adressée aux industriels, artisans et artistes nancéiens qui accompagnait la publication des statuts de l'association n'invoquait-elle pas le magistère d'Eugène Viollet-le-Duc ? Dans la bibliothèque d'Eugène Vallin s'alignaient les volumes des deux dictionnaires, de l'architecture et du mobilier, et les deux tomes des *Entretiens sur l'architecture*. Le maître d'œuvre nancéien Lucien Humbert signait certains des articles qu'il publiait dans *L'Immeuble et la construction dans l'Est* d'un pseudonyme lumineux, « Leduc-Viollet ». La première grande œuvre Art nouveau de Nancy, la villa confiée par Louis Majorelle à Henri Sauvage, enthousiasma la critique moderniste qui en souligna l'anti-classicisme. Frantz Jourdain puis Gabriel Mourey exultèrent devant des façades dont les baies – dessins et positions – si pittoresques ne pouvaient être déterminées que par leur fonction, par les usages différenciés des pièces qu'elles éclairaient. Ils soulignèrent tous deux – Jourdain avec l'indignation polémique dont était né *L'Atelier Chantorel* – l'opposition de ce pittoresque fonctionnaliste aux ordonnances régulières de la tradition classique qui alignait les fenêtres, comme « une compagnie de grenadiers prussiens[1] ». L'architecture de l'École de Nancy s'inscrivait donc dans cette tradition gothique revendiquant l'héritage médiéval et qui s'affirma au XIXe siècle avec les travaux de Viollet-le-Duc. Mais il ne faut pas négliger la complexité de sa généalogie. Au XVIe siècle, le gothique a entretenu des relations métissées avec le classicisme bien qu'il ne fût alors qu'une survivance prête à s'effacer devant la diffusion et l'assimilation savante des principes et modèles italiens. En revanche, ce n'est pas le XIXe siècle qui a redécouvert la valeur du gothique mais bien le XVIIIe. L'abbé Laugier, dans son célèbre *Essai sur l'architecture*, confessa préférer Notre-Dame de Paris, malgré ses « ornements grotesques », à Saint-Sulpice et Étienne Louis Boullée affirma que, dans son projet d'église métropolitaine, il avait voulu réunir les beautés de l'architecture grecque et les moyens mis en œuvre par les seuls Goths, une démarche suivie avant lui par Jacques Germain Soufflot à Sainte-Geneviève[2]. Que dans la problématique néoclassique se soient combinées des interrogations sur le classicisme grec et le gothique, cela mériterait déjà de savantes dissertations mais que Wilhelm Worringer ait pu rapprocher du gothique, le baroque, tout au moins sa variante septentrionale, et le rococo, cela montre qu'aucune alliance n'est interdite entre tendances architecturales[3] . Il faut aussi citer Eugenio d'Ors, qui écrivit de Guimard qu'il continua « la tradition du naturalisme végétal des "manuelins" portugais, des "chirrugueresques"

espagnols et des "jésuites" romains », comme
« Lalique, verrier baroque de Nancy [Ne confond-
il pas Lalique et Gallé ?], rappelait, sans l'imiter, la
manière des verriers baroques de Venise[4] ». Le
patrimoine héréditaire de l'École de Nancy ne
serait donc pas si pur. Bien sûr, sa conception
procède d'un naturalisme de bon aloi moderniste,
mais hérité de la tradition gothique – il suffit
de relire l'article « Flore » du dictionnaire de
Viollet-le-Duc – et de sa généalogie embrouillée
avec cette parentèle inavouable, le baroque et le
rococo, nés de la filiation ennemie, nés de la tradition classique qui, sous sa forme académique, a
présidé à la formation de la plupart des architectes nancéiens, élèves de Victor Laloux, l'auteur
de la gare d'Orsay. Et la ville de Léopold et
Boffrand, de Stanislas et Héré était là, au présent
autant qu'au passé. Comment s'étonner alors
que le chemin vers l'originalité et la nouveauté
modernistes ait parfois musardé en baroquisme ?
D'autant plus que de nombreux architectes et
autant de décorateurs, avant leur manière naturaliste ou en même temps, au gré des commandes,
ont pratiqué les styles historiques, gothique mais
aussi Louis XV et Louis XVI.

Des formes perdurables

En 1894, Eugène Vallin conçut sans doute sa propre
maison avec la volonté d'affirmer ses convictions
anti-classiques : il composa sa façade principale
sur le boulevard Lobau sur un rythme pair, sur
quatre travées, donc sur une dissymétrie (fig. 1).
La porte d'entrée est rejetée dans une travée
extrême qui rompt l'alignement horizontal des
baies pour affirmer la présence de l'escalier. Une
des deux travées médianes est accentuée, addi-
tionnant un bow-window à un balcon desservi par
une porte-fenêtre rectangulaire abritée sous une
voussure gauchie. Mais l'ordonnance verticale
obéit à une tripartition tout à fait traditionnelle :
sur un rez-de-chaussée formant niveau de soubassement, limité par un fort cordon, s'élève ce qu'il
faut bien appeler un ordre colossal, bien qu'il n'y
ait ni colonne, ni pilastre, car les trumeaux se
dressent sans solution de continuité, rassemblant
dans un même niveau les fenêtres du premier et
du second étage, le tout couronné par un quasi-
entablement. La partie haute du mur est en effet

2

Joseph Hornecker

Projet de plafond orné pour la maison

Hammer, boulevard Albert-Ier

Crayon et gouache sur papier bristol

Nancy, musée de l'École de Nancy,

inv. 987.1.14

maçonnée de briques, rythmée par de puissantes
consoles, comme des modillons sous le larmier.
Quant au soubassement, il est orné de bossages
un-sur-deux. Cette forme, c'est celle de l'ordonnance de la place Stanislas, celle de l'hôtel de
Craon de Boffrand, héritée de Jules Hardouin-
Mansart, celle des places royales. En concurrence
avec l'autre œuvre instauratrice, la villa de Sauvage
et son pittoresque fonctionnel, Vallin explorait
une voie où le nouveau style s'abouchait avec la
tradition classique. Réminiscence ou choix ? En
revanche, pour l'atelier, il dessina une façade
composée d'une seule travée rythmique dont les
quatre pilastres se différencient bien peu de leurs
modèles corinthiens – des brassées de fleurs s'y
substituent aux acanthes – mais côtoient des
poutres d'acier.

Portes et fenêtres virent leurs chambranles s'enjo-
liver d'enroulements botaniques ou de moulures
inconnues des traités académiques mais, tant

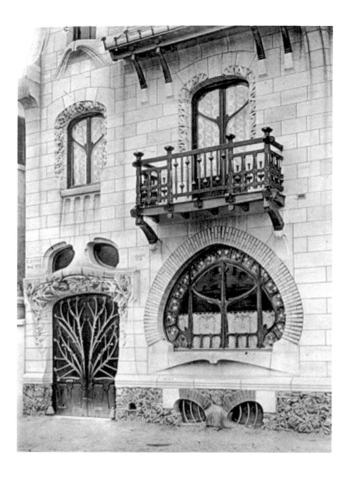

3

Émile André

Maison Huot, 92-92 bis, quai Claude Le Lorrain

Nouvelles constructions de Nancy, recueil de façades

de style moderne éditées à Nancy,

Paris, Charles Schmid Éditeur (s. d.), pl. 9

Nancy, musée de l'École de Nancy

dans leurs formes que dans leurs proportions, elles ne s'écartèrent guère des modèles du xviiie siècle. L'arc segmentaire ou en anse de panier, le linteau délardé en arc segmentaire ou à soffite surélevé sont plus courants que les arcs brisés, polygonaux ou chantournés. Les combles adoptant souvent – côté rue sinon côté jardin – le profil dit à la Mansart, leurs brisis s'ornent de lucarnes qui, malgré la nouveauté de leurs moulures, rappellent des types courants. Les lucarnes à frontons-pignons découverts sont sans doute les plus nombreuses, parfois enrichies de volutes, d'aile-rons. Des motifs dérivés plus qu'inventés.

Les intérieurs suivaient la mode de l'éclectisme qui voulait que, d'une pièce à l'autre, le style chan-geât, par goût de la variété ou pour le caractère. Derrière sa façade Art nouveau, le bureau de la maison Huot de Joseph Hornecker était moderne, la salle à manger rococo et le salon Louis XVI. Il en va de même dans l'appartement aménagé par Georges Biet pour Alphonse Gaudin, rue Charles-III, où une pièce est gothique, l'autre rococo, avec une belle cheminée à la royale, c'est-à-dire surmontée d'une grande glace, et une troisième moderne. Mais le rococo n'a-t-il pas exercé une influence plus subtile ? Si l'adoucisse-ment des plafonds s'orne de floraisons de stuc tuteurées par les lignes architecturales, à la villa Majorelle – les stucs ont disparu, rabotés par la mode Art déco – comme à la maison Weissen-burger, n'est-ce pas un héritage du rococo, du plafond du salon des Pendules de Versailles, par exemple ? Il faut noter que, sur ce point, aucun décorateur nancéien ne fut aussi audacieux, dans la fantaisie botanique, que François de Cuvilliés au pavillon d'Amalienburg à Nymphenburg. Hornecker, qui stuqua d'un classicisme maniériste les structures de briques et béton armé du Grand Théâtre, se souvint de la mode des chinoiseries tant prisées au xviiie siècle. Pour la maison Hammer du boulevard Albert-Ier (fig. 2), maison classique où l'Art nouveau n'atteint que les lucarnes, il dessina le projet d'un plafond portant un décor habité de personnages vêtus à la mode de Chine et de sages singes soucieux de la symétrie.

Lapsus classiques

Si Émile André s'en tint à un Orient moins extrême, ouvrant par deux fois dans des murs nancéiens des arcs outrepassés sous des rouleaux de briques émaillées, comme la plupart des maîtres savam-ment modernes de l'École, il ne put échapper à l'influence du xviiie siècle. Les formes perdurables transmises par l'enseignement académique comme par les exemples locaux semblent piqueter ses compositions modernistes de quelques lapsus. À gauche de l'arc bleu de la maison Huot (fig. 3), celle qui est habitée par le commanditaire des célèbres maisons jumelles du quai Claude Le Lorrain, s'ouvre une porte dont le chambranle, s'il se couvre de branches de pin envahissantes, s'orne de deux crossettes dont « l'origine de la forme doit être recherchée dans l'architecture classique, en particulier dans l'œuvre d'Emmanuel Héré à Nancy », comme l'affirme Francis Roussel[5]. Les mêmes crossettes ornent les chambranles des portes des immeubles Lombard et France-Lanord, avenue Foch, comme celles de l'immeuble Ducret (fig. 4), à l'angle de la rue Jeanne-d'Arc et de la place de la Croix de Bourgogne. Si les deux maisons affichent des baies de formes variées, les immeubles obéissent à l'économie d'ordonnances qui additionnent des travées semblables de baies aux arcs en anse de panier ou segmentaires. En revanche, l'anti-classicisme a donné à l'immeuble Lombard une ordonnance paire que résout un subtil agencement des balcons. L'immeuble France-Lanord conjugue la symétrie de sa composition ternaire à la dissymétrie des volumes de ses avant-corps latéraux où une échauguette doit équilibrer un oriel couronné d'un gâble à crossettes chapeauté d'un bulbe turgescent. Rue Jeanne-d'Arc, avec l'aide de trois duos de balcons et trois lucarnes, une symétrie ordonne les sept premières travées pliées sur l'angle. Alors que, dans cet immeuble, le quatrième niveau est souligné par un balcon continu, celui de l'avenue Foch s'abrite sous une galerie en surplomb du même type que celle de la maison Biet, rue de la Commanderie. On peut supposer à ce motif une origine médiévale. On retrouve une telle galerie – mais couverte en charpente – sous l'avant-toit de la maison de Michel, le drapier de Cluny de *L'Histoire de l'habitation humaine*[6]. En 1912, André adopta une symétrie plus franche pour l'ordonnance colossale ternaire de la façade de la villa « Les Pins », rue Albin-Haller, bien qu'à l'angle avec la rue de Verdun, un pan coupé payât son tribut à une

4

Émile André

Façade de l'immeuble Ducret

Crayon, encre, gouache sur calque

Archives départementales

de Meurthe-et-Moselle

situation urbaine propice au pittoresque. Quant à la travée centrale, elle arbore un gâble hyperbolique, un rien médiéval, entre deux lucarnes baroquisantes avec leurs corniches soulevées par de puissantes agrafes selon une courbe en chapeau de gendarme. André savait son Vignole, comme l'a prouvé la colonnade ionique du pavillon Solvay de l'Exposition internationale de l'Est de la France en 1909.

Lucien Weissenburger emmêla lui aussi médiévisme et baroquisme. Si le grand gâble de la maison Bergeret, ses lucarnes coupées en deux par un meneau prolongé d'un pinacle paient tribut au Moyen Âge, les fenêtres, les unes sous des arcs segmentaires et d'autres ouvertes dans des embrasures infléchies ou banalement rectangulaires, côté jardin, ne dérivent-elles pas des types du XVIIIᵉ siècle ? Quant à la baie outrepassée de la salle de billard, raidie par deux meneaux

5

Lucien Weissenburger

Immeuble 93, rue de Metz

Nouvelles constructions de Nancy, recueil de façades
de style moderne éditées à Nancy,

Paris, Charles Schmid Éditeur (s. d.), pl. 34

Nancy, bibliothèque municipale

comme une fenêtre thermale, sa source est en partie palladienne. C'est le XVIIIᵉ siècle qui a inspiré l'escalier à la française, à volées suspendues, et sa rampe divisée en motifs symétriques rampants. La maison du maître, boulevard Charles-V, malgré ses façades paires et son gâble, s'ouvre par des baies que franchissent arcs segmentaires ou linteaux délardés. Au 93, rue de Metz (fig. 5), un dialogue qui aurait pu tourner à la dispute semble s'être conclu par un compromis. Modernité et tradition y équilibrent leurs effets dans une composition apaisée, à la fois ternaire et dissymétrique, où le naturalisme fleurit une frise et des tables qui jouent les archivoltes, où les agrafes des baies du rez-de-chaussée s'émancipent pour soutenir les appuis de celles de l'étage, où l'une des trois lucarnes s'offre des ailerons, quand les deux autres, comme les baies, voient leurs formes dériver des modèles classiques.

Compromis historicistes

Si Vallin et Biet, André ou Weissenburger ont commis quelques lapsus, d'autres ont pratiqué un syncrétisme frivole. À la pharmacie Jacques, rue Jeanne-d'Arc, Lucien Bentz mit au point une version naturaliste de l'ordre colossal. Dressés entre des embrasures en plein-cintre, ornés de deux bagues dans leur tiers inférieur, des trumeaux aux proportions de pilastres s'épanouissent dans des écoinçons fleuris de clématites ou de pavots qui prennent alors des allures de chapiteaux. Des balustres – deux par trumeau – suggèrent une sorte de piédestal qui complète l'illusion. Cette modernisation de l'ordonnance traditionnelle séduisit Émile Toussaint et Louis Marchal, les lauréats du concours de la chambre de commerce de 1905, à moins qu'elle n'ait été imposée par leurs commanditaires. Ils avaient dessiné un édifice classique où un rez-de-chaussée orné d'un bossage continu en table portait un niveau colossal sans ordre incluant deux étages couronnés d'un brisis scandé de lucarnes à frontons triangulaires à ressauts latéraux. Profitèrent-ils de l'exemple de Bentz ? Ils y recoururent, couronnant les trumeaux colossaux de tables rentrantes ayant une vague forme de corbeilles corinthiennes qu'ils remplirent de feuillages. Pour l'avant-corps de trois travées sous son toit bombé, ils dessinèrent de vrais pilastres dont les corbeilles nues reçurent des cartouches ou, plus modernes, des couronnes de feuilles de chêne. Quant aux lucarnes, ils les empruntèrent à Weissenburger et les baies à Vallin et Biet.

À la villa du peintre Renaudin, rue Pasteur (fig. 6), Bentz utilisa des chaînes harpées à bossages chanfreinés, aux angles et pour détacher le léger avant-corps de l'escalier. Seuls les vitraux de sa grande lucarne passante et son décor de clématites lui donnent un accent naturaliste. L'Art nouveau semble avoir encouragé l'expression d'une fantaisie maniériste dont fut victime le répertoire classique. Sur la tourelle d'angle couronnée d'un dôme ellipsoïdal d'un petit immeuble, rue Michelet (fig. 7), Bentz a plaqué deux volutes géantes qui pincent un exubérant bouquet fleuri. Les couvrements des baies sont soulignés par des archivoltes détachées ou fouillées, segmentaires ou en parenthèse. Charbonnier fit preuve de la même volubilité. L'ordonnance colossale ternaire de l'immeuble du 3, rue de l'Abbé-Gridel (fig. 8) semble plus modelée que taillée ou sculptée : les arcs sont délardés, arasés, à voussoirs passants ou à crossettes, les bossages un-sur-deux adoucis, un balcon ouvert par un jour ovale vite défendu par des balustres, les agrafes se font consoles, le tout saupoudré de feuillages. À la villa Péquart de la rue Jacquinot (détruite en 1970) comme à l'hôtel Jacques, avenue Foch, s'ajoutent quasi-serliennes, gâbles à crossettes, volutes et arcs brisés.

Ancien élève du très rationaliste Julien Guadet, préfacier et éditeur, en 1907, avec son ami Jean-Louis Pascal, d'une réimpression de *L'Architecture française* de Jacques François Blondel, Charles-Désiré Bourgon pratiqua un éclectisme curieux et inventif. Si la maison Loppinet, avenue Foch, avec sa dissymétrie pondérée – quatre travées divisées

6

Lucien Bentz

Maison 51, rue Pasteur

Nouvelles constructions de Nancy, recueil de façades de style moderne éditées à Nancy,

Paris, Charles Schmid Éditeur (s. d.), pl. 11

Nancy, musée de l'École de Nancy

en un triplet et un avant-corps équilibrant le portail –, son décor d'ombellifères et ses baies à linteaux délardés, semble s'être convertie à l'Art nouveau avec beaucoup de sagesse, malgré le maniérisme des volutes des lucarnes, il n'en alla pas toujours ainsi. La façade de l'immeuble France-Lanord du boulevard Lobau, composée sur une pondération savante, offre à ses baies des archivoltes chantournées et tortillées à loisir, le tout couronné par un niveau d'entablement dont les fenêtres sont accostées de volutes en coup de fouet et les trumeaux fleuris de tournesols.

7
Lucien Bentz
Maison 40, rue Michelet
Nouvelles constructions de Nancy, recueil de façades
de style moderne éditées à Nancy,
Paris, Charles Schmid Éditeur (s. d.), pl. 12
Nancy, musée de l'École de Nancy

Quant au 12 bis, rue de Metz (fig. 9), c'est un montage baroque d'éléments d'origines diverses : un toit bombé, un haut brisis, des lucarnes à frontons découverts ornés de volutes maniéristes, des baies XVIIIe siècle aux linteaux inventés, une archivolte tortillée, des bandeaux qui ressautent au-dessus de l'écu agrafé sur l'axe de la porte et sur l'avant-corps et une collection de motifs botaniques divers.

Au rez-de-chaussée de l'hôtel particulier du 62, avenue Foch – dont le trait le plus marquant est son appareil polygonal de granit rosâtre, le même qu'au 20, rue des Bégonias, de Bourgon –, les trois portes-fenêtres centrales s'ouvrent sur un balcon à l'ondulation borrominienne. Les trumeaux portent des motifs inédits, des sortes de demi-cartouches au centre vide qui pourraient avoir été inspirés par le grand cartouche ornant l'hôtel des missions royales d'Emmanuel Héré. Au 9, rue des Bégonias, s'élève une maison à trois travées, benoîtement symétrique mais dont le vocabulaire classique s'autorise quelques variations qui pourraient avoir été encouragées par la mode Art nouveau. Si une corniche en plein-cintre couronne la lucarne centrale, si sur l'axe de l'étage un cartouche est sculpté d'une figure féminine, les agrafes des fenêtres sont bien trop grandes ainsi que les modillons qui les flanquent. Quant aux agrafes des baies latérales du rez-de-chaussée, elles soulèvent le bandeau qu'elles portent, qui en ondule. À ce niveau, deux fenêtres jumelles s'ouvrent sous deux voussures biaises qui entaillent le massif en surplomb portant le balcon, un motif employé par Bourgon rue de Metz, bien que, là, les voussures soient droites.

La rupture

Les relations entre l'Art nouveau et le XVIIIe siècle, qu'elles fussent filiales ou libertines, se concluent par une rupture. À partir de 1910 se développa une critique de l'Art nouveau fondée sur les valeurs classiques. Le critique parisien Louis Vauxcelles, dans un article publié par *Art et Industrie*, s'inquiéta du danger de la théorie naturaliste, qui pourrait laisser prédominer « le parti strictement décoratif sur le parti constructif ». Il recommanda alors aux artistes nancéiens d'aller regarder la place Stanislas et de ne pas oublier « le "maître de l'œuvre", l'architecte, le constructeur », Héré[7]. De cette réaction allaient naître l'Art déco et l'architecture puriste.

8

Paul Charbonnier

Maison 3, rue de l'Abbé-Gridel

Nancy, musée de l'École de Nancy

---

1. Sur l'influence de Viollet-le-Duc comme pour l'étude des commentaires de Gabriel Mourey et Frantz Jourdain sur la villa Majorelle, voir VIGATO, 1998. **2.** Voir LAUGIER, 1979 ; BOULLÉE, 1968. Dans *Histoire de l'architecture française. De la Renaissance à la Révolution*, Paris, éditions du Patrimoine, Mengès, 1989, Jean-Marie Pérouse de Montclos écrit : « Nous savons par les collaborateurs de Soufflot que l'idée de celui-ci était bien encore d'unir l'ordonnance grecque à la structure gothique. » **3.** WORRINGER, 1967. **4.** ORS, 1968. **5.** Voir la notice « 92-92bis, quai Claude Le Lorrain » dans ROUSSEL, BASTIEN, 1992, t. I, p. 66-73. On trouvera les immeubles dans le deuxième des trois tomes de cet ouvrage. **6.** Voir VIOLLET-LE-DUC, s. d. **7.** VAUXCELLES, 1910. Voir les parties « Du doute à la critique » et « Sortir de l'École : le retour à l'ordre » dans VIGATO, 1998.

MAISON, RUE DE METZ, 12 bis

9
Charles-Désiré Bourgon
Maison 12 bis, rue de Metz
Nouvelles constructions de Nancy, pl. 18
Nancy, musée de l'École de Nancy

1

Camille Martin
Projet d'arc de triomphe de la maison Wild,
1892
Dessin, aquarelle sur papier
Nancy, Musée lorrain

Le décor dans la rue. Fêtes, cérémonies et cavalcades à Nancy

Jérôme Perrin

Au XIXe siècle, les pratiques culturelles étaient volontiers extérieures, collectives et souvent publiques, tels les concerts, défilés et fêtes. Cette période s'inscrit dans une tradition héritée des époques passées et plus particulièrement du XVIIIe siècle, connu pour son sens de la décoration urbaine éphémère et sa recherche de théâtralité. Sans être vraiment innovante, la tradition des fêtes et cérémonies sur l'espace public au XIXe siècle prend une dimension nouvelle grâce à la forte implication des nombreux artistes décorateurs nancéiens parmi lesquels figurent plusieurs membres de l'École de Nancy. De plus, la mobilisation active des organisateurs et la forte demande du public concourent à la réalisation de fêtes urbaines populaires et régulières particulièrement réussies.

Nancy fête les Grands

Au cours du XIXe siècle, de nombreux événements, au premier rang desquels figurent les réceptions officielles, donnent aux Nancéiens l'occasion d'organiser des festivités publiques. L'accueil des chefs de l'État ou de leurs représentants donne toujours lieu à de somptueuses fêtes qui pavoisent et embellissent la ville tout en valorisant les démonstrations artistiques, sportives et militaires ainsi que les spectacles. Cette tradition d'hospitalité festive et fastueuse remonte aux entrées triomphales dans la ville des ducs Antoine et René II, se poursuit au fil des siècles avec l'accueil des souverains et annonce les grandes festivités qui accompagnent la venue du président de la République Sadi Carnot, en 1892. C'est notamment en raison de la qualité de son urbanisme que Nancy s'inscrit dans cette tradition des réceptions et défilés, grâce à ses arcs de triomphe, ses rues rectilignes et « ses places frangées de palais, ses façades monumentales et uniformes, ses larges voies que l'œil parcourt sans se heurter à un angle. Pour toutes ces raisons, Nancy semble bâti à souhait pour les cortèges princiers, les cavalcades militaires, les défilés de tous les luxes et les cérémonies où brillent les élégances de la Cour[1]. »

Moins de trente ans avant la visite de Carnot et sous un autre régime, Nancy accueille l'impératrice Eugénie venue fêter, du 14 au 17 juillet 1866, le centième anniversaire de la réunion de la Lorraine à la France. À cette occasion, des concours de tir et de musique sont organisés, ainsi que des concerts de chorales, défilés, régates sur la Meurthe, feux d'artifice et un bal à l'hôtel de ville. Au total, plus de 200 000 visiteurs sont accueillis. Le souvenir de cette réception est encore ancré dans l'esprit des Nancéiens alors que s'organise la venue de Carnot. En 1892, le président est reçu à Nancy à l'occasion de la dix-huitième fête fédérale de l'Union des sociétés gymnastiques de France : ce sont trois jours de festivités, de

2

Cavalcade de la mi-carême, 1896
La Lorraine artiste, 29 mars 1896

réceptions, de défilés, organisés dans toute la ville[2]. À cette occasion sont élevés près de quarante arcs de triomphe décoratifs, dont l'exécution est confiée à des architectes et artistes nancéiens. À l'intersection de la rue Saint-Jean et de la rue Saint-Dizier, l'architecte Lucien Weissenburger (1860-1929) édifie, avec l'aide du décorateur Louis Guingot (1864-1948), l'un des plus imposants : un dôme élevé à 24 mètres de hauteur repose sur des piliers ajourés qui offrent de larges perspectives sur les deux artères principales du centre-ville. Rue Saint-Nicolas, le peintre décorateur Camille Martin (1861-1898) réalise pour la maison Wild[3] un arc de triomphe dans un style oriental, orné de chapeaux et d'éventails, de gerbes de paille et de bambous, en adéquation avec l'activité commerciale du mécène (fig. 1). La plupart des arcs sont en effet « sponsorisés » par des entreprises locales, telles Daum et Frühinsholz qui s'associent pour la construction d'un arc commun. De même, le Véloce Club et le Sport nautique[4] font figurer sur leur arc ancres, barques, rames et bicyclettes illustrant leurs pratiques sportives respectives. Outre ces arcs de triomphe, des mâts avec des écus, des drapeaux et des oriflammes, reliés par des guirlandes supportant des ballons et des lanternes de verre, sont érigés dans les rues de Nancy. Et bien au-delà de la seule agglomération nancéienne, la campagne et les villes lorraines qui jalonnent la voie ferrée fêtent également le convoi présidentiel, de Bar-le-Duc jusqu'à Toul.

Toutes ces décorations – les arcs de triomphe et les huit portes, réalisés en un temps record[5] – adoptent des formes et des décors éloignés de l'Art nouveau mais restent fidèles aux modèles du XVIIIe siècle disséminés dans Nancy ainsi qu'aux autres exemples de l'architecture temporaire,

notamment les pavillons des Expositions universelles. L'absence des formes Art nouveau dans les constructions éphémères s'explique par leur apparition tardive dans l'architecture, particulièrement à Nancy. La construction de la villa Majorelle, considérée comme la première réalisation entièrement moderne à Nancy, n'est entreprise par l'architecte parisien Henri Sauvage (1873-1932) qu'en 1901. À partir de cette date, et sous l'impulsion d'architectes et décorateurs nancéiens comme Émile André (1871-1933), Georges Biet (1868-1955), Eugène Vallin (1856-1922) ou encore Lucien Weissenburger, les formes Art nouveau, jusqu'alors réservées aux intérieurs et aux objets du quotidien, prennent place dans l'espace public. Avant cela, les seuls modèles de l'architecture et de l'urbanisme connus des Nancéiens sont ceux des siècles passés et notamment ceux du XVIIIe siècle, particulièrement fécond en arcs de triomphe et portes monumentales.

En plus de ces constructions éphémères, les solennités sont l'occasion de rendre hommage à un art local particulièrement dynamique et de le valoriser, ou de doter le patrimoine municipal de nouvelles richesses. Des représentations théâtrales et des concerts sont organisés, des objets d'art d'Émile Gallé (1846-1904) et des frères Daum sont offerts au couple Carnot. Le monument à Claude Gellée[6] commandé à Auguste Rodin (1840-1917) est inauguré à cette occasion.

Les étudiants fêtent Nancy

Certains rendez-vous réguliers donnent matière à de grandes festivités publiques et populaires. Les fêtes des étudiants sont un moment fort à Nancy à partir des années 1890. Le Cercle des Étudiants de Nancy est la première association estudiantine créée en France : il date de 1878. L'un de ses objectifs est de nouer des relations de sympathie avec la population de Nancy[7]. L'objectif est atteint, si l'on en croit la mobilisation importante du public nancéien lors de ces rendez-vous étudiants. Dès 1890, les étudiants des cinq facultés de Nancy organisent à la mi-carême des cavalcades très appréciées du public (fig. 2). Ces cavalcades – ou défilés de chars – sont fortement ancrées dans les habitudes des Lorrains, au point que le chroniqueur et poète Émile Badel

avait souhaité reconstituer en 1891 une célèbre cavalcade universitaire organisée en 1623[8] à Pont-à-Mousson[9]. Pour des raisons budgétaires, entre autres, ce projet ambitieux n'a pas pu se réaliser. Chaque année, les artistes lorrains sont largement sollicités par les étudiants. Ainsi, en 1900, Lucien Weissenburger dessine les plans du char de la faculté des Lettres[10], décoré par les élèves de l'École des beaux-arts. Pour ce même cortège, c'est l'ébéniste Eugène Vallin[11] qui réalise le char de l'École des beaux-arts, appelé aussi « le char de Lard de Lorraine : sur un trône élevé, la Lorraine ; à ses pieds et aux angles, quatre statues animées que les rapins sont occupés à sculpter. L'ornementation de ce char, sortant des ateliers de M. Vallin, est splendide. Les bordures de ce char sont garnies de tubes de peinture aux étiquettes les plus abracadabrantes[12]. » Les chars sont financés par des associations ou des clubs nancéiens, parmi lesquels le Sport nautique, la Société des commerçants du marché, le Véloce Club, la Société des voltigeurs de l'Est, l'Association des Facultés ou encore la Tonnellerie alsacienne Frühinsholz. La cavalcade se termine joyeusement, comme c'est le cas en 1895, par une grande bataille de confettis, place Stanislas[13]. Les plus démunis ne sont pas oubliés dans cette manifestation festive, puisque le produit de la

3

Jacques Gruber

Affiche pour le Bal des étudiants, 1896

Lithographie Berger-Levrault

65 x 101 cm

Nancy, musée de l'École de Nancy

vente des programmes et des albums, ainsi que les droits d'entrée au bal sont en partie reversés à des associations et bureaux d'entraide, ou aux pauvres de la ville.

Outre la décoration des chars, les étudiants confient aux artistes nancéiens la conception des supports de communication pour promouvoir leurs bals et défilés (fig. 3). Pour la seule année 1895, Camille Martin réalise l'affiche de la cavalcade, Victor Prouvé (1858-1943) se charge du programme officiel et de la carte du bal, tandis que Jacques Gruber (1870-1936) fournit la couverture de l'album de la cavalcade qui contient entre autres des contributions de Louis Guingot et Henri Bergé (1870-1937). Jacques Gruber est l'organisateur général de l'édification et de la décoration des chars.

L'art graphique de l'École de Nancy est alors largement diffusé à toute occasion : affiches, menus, programmes, dépliants, cartes... Nés au milieu des années 1890, le style et les lignes Art nouveau se popularisent rapidement et deviennent en quelques années une référence adoptée sur les supports de communication et de promotion d'événements publics. L'affiche étant le premier et le meilleur symbole de l'art dans la rue – elle est spécifiquement conçue pour le plus grand nombre –, elle donne le ton en matière de conception artistique et forme ainsi le goût du public pour ce qui est de la typographie, des lettres dessinées, de la lithographie en couleur, de la composition moderne.

La place Stanislas est toujours à l'honneur
Malgré leur évidente modernité, les documents graphiques Art nouveau utilisent fréquemment des références au siècle des lumières : l'image et l'architecture du XVIIIᵉ siècle sont largement reprises par les décorateurs locaux. Il ne s'agit pas d'un manque d'imagination mais de la volonté délibérée de promouvoir une manifestation – surtout si elle est de portée nationale ou internationale – par le biais de ce qui caractérise le mieux Nancy pour le plus grand nombre. Il s'agit bien entendu de la place Stanislas, symbole architectural d'une période faste de la Lorraine, dont Nancy garde le plus monumental souvenir. Les grilles de Jean Lamour restent en effet le

4

Victor Prouvé

Hommage aux Sokols de Prague, 1892

En illustration d'une dédicace

d'Émile Hinzelin

La Lorraine artiste, 12 juin 1892

Nancy, musée de l'École de Nancy

meilleur support de communication de Nancy, notamment quand ces illustrations sont destinées à des visiteurs étrangers. Elles figurent sur le dessin que Victor Prouvé réalise en 1892 en hommage aux Sokols de Prague (fig. 4). La même année, Émile Gallé fournit des prix pour le concours de gymnastique. Pour faire perdurer le souvenir de Nancy sur ces objets, il représente divers symboles du patrimoine nancéien : « Une gargoulette étale ses larges flancs que lèchent des flambées de nuances exquises et profondes : deux becs

5

Pierre-Roger Claudin

Affiche officielle de l'Exposition

internationale de l'Est de la France, 1909

Lithographie

158 x 118 cm

Nancy, musée de l'École de Nancy

de bêtes lui servent de goulots. Des couleuvres s'attachent en anse et serpentent à la base. La porte de la Craffe et une grille de Lamour dominant la cathédrale y sont figurées. Ce vase de faïence peinte et émaillée est une des plus belles pièces de l'œuvre céramique de M. Gallé. D'autres plus petites, de même forme libre où est rappelée une fontaine d'Amphitrite un peu fantaisiste, des potiches Louis XV d'un joli décor sont auprès, et l'on y admire le même art minutieux et tendre[14]. » Bien plus tard, en 1909, pendant

les fêtes de l'Exposition, se tient la réunion des associations d'étudiants. L'affiche, réalisée par l'illustrateur Dry, figure à l'arrière-plan une grille de Jean Lamour. Actuellement encore, ces célèbres grilles restent le symbole de Nancy et se retrouvent sur la majorité des supports de communication.

Le décorateur Pierre-Roger Claudin (1877-1936), concepteur de l'affiche officielle de l'Exposition de 1909, échappe à cette référence systématique à Lamour tout en empruntant un autre symbole de la place Stanislas moins fréquent, un pot à feu (fig. 5). Une jeune Lorraine en costume traditionnel joue gracieusement avec des colombes sur l'un des toits de la place Stanislas. Au loin cohabitent patrimoine historique (porte de la Craffe et place Stanislas), architecture moderne (palais des fêtes de l'Exposition) et activité industrielle (hautes cheminées fumantes)[15]. Mais la place Stanislas et le patrimoine XVIIIe siècle restent une source d'inspiration parmi beaucoup d'autres dans les productions de l'École de Nancy.

La grande fête de 1909

Dernière grande fête de la « Belle Époque », l'Exposition internationale de l'Est de la France permet à la Ville de Nancy de démontrer l'étendue de ses talents d'organisatrice en accueillant plus de deux millions de visiteurs. Les solennités de l'Exposition sont nombreuses : inauguration par le ministre Barthou, fêtes alsaciennes, grande semaine britannique, revue du 20e corps d'armée, fêtes franco-belges, visite de la City of London International Commercial Association et réception de la Société industrielle de Mulhouse par la Société industrielle de l'Est. Il y eut également les fêtes de l'Exposition[16] ainsi que les fêtes de Nancy[17] : autant de défilés, de feux d'artifice, de spectacles et de regroupements pour les visiteurs et le public local. Comme le rappelle Marcel Knecht dans la *Revue générale de l'Exposition de 1909*, « la Ville de Nancy, avec son délicieux décor XVIIIe siècle, avec ses perspectives de collines et de forêts, a toujours fourni un cadre approprié aux solennités et aux fêtes brillantes, et l'Exposition elle-même, conçue avec goût et disposée harmonieusement, se prêtait aux évolutions de cortèges historiques ou fleuris. » À l'occasion des défilés et des fêtes de 1909, de nombreux chars ont été réalisés pour parader en ville. L'architecte Joseph Hornecker (1873-1942) a réalisé celui de Léopold II, dont le musée de l'École de Nancy conserve plusieurs dessins préparatoires (fig. 6). La conception du char est en rapport avec l'époque de Léopold, donc très historiée et dans la tendance des défilés d'alors. Ces cortèges, en raison de leur thème historique, n'utilisent ni les formes ni les motifs Art nouveau mais reprennent plutôt le style de l'époque qu'ils sont censés illustrer.

Fête foraine

Autre grand rendez-vous annuel des Nancéiens, la foire de Nancy, installée cours Léopold. En 1904, la Société des Amis de Nancy souhaite rajeunir la foire de Nancy en confiant sa décoration aux artistes de la ville. Initiée peu de temps avant l'ouverture, cette intervention de rajeunissement doit se borner aux devantures et façades, par l'ajout d'appliques, de frontons, panneaux, colonnes, motifs lumineux avec une ornementation propre à chaque baraque[18]. À l'entrée de la foire est prévu un portique à trois arceaux dans un style moderne, rappelant certains pavillons d'exposition universelle. Par manque de temps, ces projets n'aboutissent pas. Seuls quelques rares établissements, comme le Théâtre Cirque exotique, ou encore l'Hippo-Palace (fig. 7), venu

de Paris, présentent la modernité souhaitée par les Nancéiens : sa « façade dont l'architecture est fort appréciée des connaisseurs revêt un caractère de grandeur et de richesse que nul établissement n'a encore apporté jusqu'à ce jour sur la place de Nancy[19] ». Mais ces baraques sont bien isolées au milieu de tant d'autres relevant davantage de l'éclectisme et d'une inspiration baroque que du style moderne.

Ainsi, à la fin du XIXe siècle, les occasions sont nombreuses pour Nancy de faire participer ses artistes aux festivités qu'elle organise. Ceux-ci prennent alors une part active à la vie de la cité en étant sollicités et intégrés aux prises de décision et à l'organisation générale des manifestations. Leur travail, ainsi descendu dans l'espace public et popularisé par toutes ces manifestations éphémères, permet également aux Nancéiens d'avoir connaissance des formes et des lignes les plus actuelles de l'art. Le célèbre adage prôné par les artistes de l'Art nouveau et de l'École de Nancy, « l'art pour tous », prend alors toute sa signification.

1. « Voyages princiers à Nancy », *La Meurthe*, 5 juin 1892. **2.** Un ouvrage a été édité en souvenir de cet événement, avec une couverture de Camille Martin. GOUTIÈRE-VERNOLLE, 1892. **3.** Wild frères et Compagnie, manufacture française de chapeaux de paille, est une usine très importante située 41, rue Saint-Nicolas à Nancy. **4.** Deux clubs de sport nancéiens. **5.** En moins de deux mois. **6.** Encore située dans le parc de la Pépinière à Nancy. **7.** ROTH, 2003. **8.** BADEL, 1891. **9.** L'université de Lorraine était alors située à Pont-à-Mousson. **10.** Appelé aussi char Notre-Dame de Paris. **11.** À moins qu'il ne s'agisse de son fils, le sculpteur Auguste Vallin. **12.** *Le Progrès*, 25 mars 1900. **13.** Des bureaux provisoirement installés au théâtre et à l'hôtel de ville fournissent les confettis. **14.** *L'Est Républicain*, 30 mai 1892. **15.** Des reproductions de ces pots à feu figuraient en outre, au sein de l'Exposition, tout autour de l'esplanade, en face du palais des fêtes. **16.** Les fêtes acrobatiques des cyclistes Nancy-Strasbourg, la retraite coloniale, les feux d'artifice et illuminations, les fêtes du village sénégalais, la Comédie lorraine et le guignol. **17.** La soirée du grand gala du congrès international des étudiants, le couronnement de la muse du peuple. **18.** *Étoile de l'Est*, 3 mai 1904. **19.** *Étoile de l'Est*, 20 mai 1904.

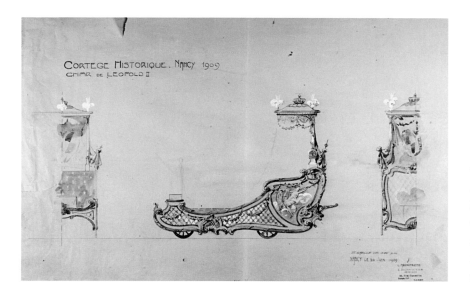

6

Joseph Hornecker

Projet du char de Léopold II, 1909

Crayon et aquarelle sur papier

51 x 84,5 cm

Nancy, musée de l'École de Nancy,

inv. 992.29.4

7

Stand de l'Hippo-Palace à la foire de Nancy,

cours Léopold, 1904

Supplément à *La Lorraine artiste*, 1904

Nancy, musée de l'École de Nancy

L'héritage du XVIIIe siècle

L'influence exotique : chinoiseries et japonaiseries

Si le japonisme se développe en Europe après 1868 et l'ouverture de l'ère Meiji, le goût de l'Extrême-Orient est présent dès le siècle précédent dans l'art français. En Lorraine, les salons du château d'Haroué, longtemps attribués à Jean Pillement[1], auteur de deux volumes consacrés aux « chinoiseries », attestent la diffusion de cette iconographie que l'on retrouve également dans les arts du feu. Les manufactures de Lunéville, de Saint-Clément et de Rambervillers proposent des décors « au Chinois » : on y retrouve des scènes et des personnages inspirés de la civilisation chinoise, sujets récurrents dans la céramique française de cette époque.

Collaborant avec certaines de ces manufactures, Émile Gallé va lui aussi se tourner vers l'Extrême-Orient pour concevoir un ensemble de faïences, mais celles-ci n'ont plus le côté anecdotique des scènes et des personnages chinois proposés un siècle plus tôt. Si les formes sont reprises de la Chine et du Japon, c'est plutôt des ornements typiques de ce dernier pays que l'artiste s'inspire. Ainsi le décor des deux vases en forme de disque (cat. 4 et 5) est-il composé de représentations florales – associées sur l'un à des paysages hollandais –, l'ensemble étant cerné de motifs dits imari. Or c'est au XVIIIe siècle que les céramiques de style imari[2] ont connu un grand succès en Europe ; elles ont même fait l'objet d'une production destinée uniquement à la clientèle occidentale avant d'être abondamment imitées par les principales manufactures européennes.

Le vernis Martin est une technique du XVIIIe siècle largement employée par Louis Majorelle et Émile Gallé pour leurs créations d'ébénisterie, parallèlement à une production plus moderne. Cette technique, qui imite la laque, sera parfaitement maîtrisée par la Maison Majorelle ; l'aïeul, Auguste, joua un rôle important dans son renouveau[3]. Le meuble d'appui de Louis Majorelle (cat. 3) témoigne de cette maîtrise mais révèle surtout une unité d'ensemble : la forme trapue mais dominée par les lignes courbes, le vernis Martin et le décor d'oiseaux et de végétaux exotiques s'avèrent dignes de l'ébénisterie française du siècle précédent. La parenté de ce meuble avec les céramiques créées à Toul par la famille Majorelle (cat. 6 et 7) – répertoire décoratif, technique employée, utilisation du relief – est assez étonnante. Il s'agit, de plus, de l'un des rares exemples, dans l'École de Nancy, de passerelle entre le mobilier et les objets d'art.

Le vase *La Nuit japonaise* d'Émile Gallé (cat. 9) clôt cet ensemble mais annonce surtout l'apogée technique et artistique atteint par la cristallerie autour des années 1900. À cette époque, le créateur nancéien a développé son propre langage esthétique : les modèles issus de l'Extrême-Orient ne sont plus que de simples et lointaines références.

---

1 Ce salon a été attribué par Thierry Franz à la génération précédant Pillement.
2 Ces céramiques portent le nom du port japonais par lequel transitait la production à destination de l'Occident.
3 Voir l'article de Roselyne Bouvier, p. 37-41.

1
Émile GALLÉ (1846-1904)
Table pour l'Escalier de Cristal
Vers 1885-1889
Tilleul, hêtre, noyer, vernis Martin, décor
polychrome en relief
H. 75 ; L. 54,4 ; P. 39,5 cm
Signature en creux sur le côté extérieur du tiroir
à droite *Emile Gallé Nancy fecit* et *E‡G*, sous le tiroir
à gauche marque en creux *Déposé*
Ancienne étiquette *Maison de l'Escalier de Cristal
PANNIER-LAHOCHE et Cie, 1 rue Auber et rue Scribe
n° 6 (en face du grand Opéra)*
Nancy, musée de l'École de Nancy, inv. 002.10.1

HISTORIQUE
Don de l'Association des amis du musée de l'École
de Nancy avec le soutien du Fonds régional
d'acquisition des musées de Lorraine, 2002.
BIBLIOGRAPHIE
Thomas, juin 2004, p. 93.

2
Auguste MAJORELLE (1825-1879) – **MANGEOT Frères et Cie**
Piano à queue
1878
Bois sculpté et peint, vernis Martin, applications de faïence
H. 100 ; L. 140,5 ; P. 220 cm
Signature, au-dessus du clavier, en lettres noires sur fond doré *Pianos
Franco-Américains / Mangeot Frères et Cie / Décoré / par / Majorelle /
Nancy*
Nancy, musée de l'École de Nancy, inv. DT 80

HISTORIQUE
Acquis à l'hôtel Drouot, à Paris, 1980.
EXPOSITION
Paris, Exposition universelle, 1878.
BIBLIOGRAPHIE
Bergerat, 1878, p. 167 ; Charpentier, 1964, p. 21 ; Alcouffe, 1988, p. 228 ;
Bouvier, 1991, p. 39 ; Duncan, 1991, p. 18 ; Debize, 1998, p. 54 ; Bouvier,
1999-2000, p. 287 ; Thomas, 2001, p. 46-47.

3
Louis MAJORELLE (1859-1926)
Meuble d'appui
Vers 1885
Bois, décor vernis Martin, bronze
ciselé et patiné vieil or, marbre
H. 158 ; L. 92 ; P. 50 cm
Nancy, musée de l'École
de Nancy, inv. AD 396

HISTORIQUE
Don de Mme Delsart, 1936.
EXPOSITION
Nancy, 1999, cat. n° 225,
repr. p. 155.

4
Émile GALLÉ
Vase en forme de disque sur pied
Vers 1885-1889
Faïence, décor en émaux polychromes coulés en relief
H. 23 cm
Signature sur la pièce *E. Gallé Nancy*
et sous la pièce *E‡G*
Inscription *Plus penser que dire*
Collection particulière

EXPOSITION
Haroué, 2004.
BIBLIOGRAPHIE
LE TACON, 2004, p. 50.

5
Émile GALLÉ
Vase en forme de disque sur pied
Vers 1885-1889
Faïence, décor en émaux polychromes coulés en relief
H. 23 cm
Signature *E‡G Gallé Nancy déposé*
Collection particulière

EXPOSITION
Haroué, 2004.
BIBLIOGRAPHIE
LE TACON, 2004, p. 58.

6
Auguste MAJORELLE
Grand vase vernis Martin
Décor laqué noir appliqué sur émail bleu
H. 56 ; D. 35 cm
Toul, musée d'Art et d'Histoire, inv. MT 990.33.2

HISTORIQUE
Achat, 1990.
EXPOSITION
Toul, 1999, repr. p. 28.

7
Auguste MAJORELLE
Cache-pot
Céramique décor laqué noir et or
H. 30,5 ; D. panse 56 ; D. ouverture 47 cm
Toul, musée d'Art et d'Histoire, inv. MT.999.14.2

HISTORIQUE
Achat, 1999.
EXPOSITION
Toul, 1999, repr. p. 23.

8
Émile GALLÉ
Coupe à anse à décor de chrysanthème
et de mante religieuse
Vers 1885
Faïence frappée couverte d'émaux durs polychromes
H. 15 ; L. 25 cm
Signature sous la pièce *E‡ G déposé Gallé Nancy*
Collection particulière

EXPOSITION
Haroué, 2004.
BIBLIOGRAPHIE
LE TACON, 2004, p. 37.

9
Émile GALLÉ
Vase La Nuit japonaise ou fleurs de pommier et papillons
1900
Verre à plusieurs couches, gravure à l'acide et à la roue
H. 22,5 ; D. base 6,5 ; D. ouverture 11,3 cm
Signature en relief dans le décor *Gallé*
Nancy, musée de l'École de Nancy, inv. AD 60

HISTORIQUE
Achat de la commission du musée d'Art décoratif à Gallé, 1904 ;
le registre d'inventaire donne comme date de réalisation 1900.
EXPOSITIONS
Osaka, Exposition universelle, 1970, cat. n° 273 ; Paris, 1999-2000,
cat. n° 213, repr. p. 235 ; Tokyo, Kanazawa, Osaka, Shimonoseki,
2001-2002, cat. n° 38, repr. p. 59 ; Nancy, 2003, sans cat.
BIBLIOGRAPHIE
BOUR, 1904, p. 37 ; THIÉBAUT, 1997, p. 100 ; THOMAS, 2001, p. 65 ;
THIÉBAUT, 2004, p. 71 ; THOMAS, 2004, cat. n° 258, p. 154, 156.

Le motif lorrain

Le personnage du roi Stanislas et l'ensemble architectural commandé par ce dernier sont des sujets fréquents dans l'art lorrain du XIXe siècle. Les créations de l'École de Nancy n'échappent pas à cet engouement mais ce sont surtout les grilles de Jean Lamour qui ont intéressé les artistes décorateurs. Cela n'a rien de surprenant lorsqu'on sait en quelle estime le travail de Jean Lamour était tenu à cette époque, comme l'illustre cette citation d'André Hallays : « La Place Royale [la Place Stanislas] n'eut été qu'une belle place, entre beaucoup d'autres et non une œuvre d'art unique sans le serrurier de génie qui en forgea les balcons, les grilles et les portiques[1]. » L'ornement le plus souvent employé, aussi bien par Émile Gallé que les frères Daum et Louis Majorelle, s'avère être un détail d'une grille d'angle ornée d'un coq tenant dans son bec une lanterne. Cet élément sert de porte à quatre des rues débouchant sur la place Stanislas mais orne également la façade de l'hôtel de ville et cerne le terre-plein central de la place de la Carrière. C'est évidemment à son graphisme que s'attachent les décorateurs, et au fait qu'il puisse servir de cadre à un motif décoratif. De nombreuses gravures et photographies[2] du XIXe siècle proposent déjà une vue de la place Stanislas depuis la rue de la Constitution[3], et bordée par deux grilles d'angle. Elle a ainsi été reprise pour concevoir le piqué utilisé pour orner le vide-poche du Museum für Angewandte Kunst de Cologne (cat. 20), même si cette représentation est simplifiée et adaptée à la forme modeste – mais très moderne – de cet objet. D'autres pièces déclinent le même décor, en le limitant au détail du coq tenant une lanterne (cat. 23). La composition s'inspire d'une reproduction peinte, gravée ou dessinée – peut-être même photographiée – mais ne semble pas avoir été étudiée d'après nature par les dessinateurs des manufactures nancéiennes. Ainsi la vue de la place Stanislas sur la jardinière en forme de palette d'Émile Gallé (cat. 24) est-elle directement inspirée d'une gravure de Dominique Collin, éditée d'après des dessins attribués à Jean Girardet pour le *Compte général de la dépence des édifices et batimens [...]*[4]. De légers changements ont été opérés et la scène simplifiée s'avère être plus proche du dessin de Girardet. Sur le pichet du même nom, daté de 1872, conservé au Bowes Museum et ses dessins préparatoires (cat. 10, 11, 12 et 13), la figure du roi Stanislas suit une iconographie proche de celle d'un tableau attribué à Jean Pillement[5], acquis par le Musée lorrain après 1869. Là encore, l'image a été légèrement adaptée : le roi est toujours de profil, appuyé sur sa canne, mais il tient ici un chapeau dans la main droite, et une grille d'angle a été ajoutée pour meubler le fond de la scène.

C'est à une vision imaginaire de l'ensemble architectural du XVIIIe siècle que les frères Voirin nous invitent à travers leurs dessins et le paravent commandé par le roi de Hollande en 1886 (cat. 15, 16, 17, 18 et 19). En effet, des éléments de la place de la Carrière et la fontaine de la place d'Alliance sont associés à la place Stanislas, sans logique ni souci de réalisme. Les édifices et les éléments de décor ne recherchent pas l'exactitude historique, mais composent une scène ou se promènent des personnages, féminins et masculins, en vêtements du XVIIIe siècle, dont les attitudes rappellent les scènes galantes de Boucher, Fragonard et Watteau.

La place Stanislas, ses éléments de décor et son commanditaire jouent donc le rôle de simples motifs décoratifs sur des faïences, des meubles et des verreries. Ils sont parfaitement représentatifs de la quête des arts décoratifs de la seconde moitié du XIXe siècle, avides de nouveaux ornements permettant de renouveler le répertoire décoratif, et dans laquelle l'histoire et ses aspects anecdotiques apparaissent comme une source de sujets inédits.

---

1 HALLAYS, 1906.
2 *Nancy [...]*, 1896, planche 52.
3 Actuelle rue du Préfet-Érignac.
4 *Compte général de la dépence des édifices et batimens que le Roy de Pologne et, duc de Lorraine et de Bar, a fait construire pour l'embellissement de la Ville de Nancy depuis 1751 jusqu'en 1759*, Nancy, bibliothèque municipale.
5 Attribué à Jean Pillement, *Portrait en pied de Stanislas dans un entourage de fleurs*, Nancy, Musée lorrain, inv. 95-399.

10
Émile GALLÉ – SAINT-CLÉMENT
Pichet Stanislas
1872
Faïence, décor polychrome de grand feu sur émail stannifère blanc
H. 28,5 cm
Signature en brun sous la figure de Stanislas *Gallé Nancy St Clément /*
1872 ; marque peinte en bleu sous la pièce *St Clément*
Inscription sous le cartel *Le bon Roy Stanislaüs Leckzinski*
County Durham, The Bowes Museum, Barnard Castle, inv. X. 4121

HISTORIQUE
Probablement livré en 1872 à Josephine Bowes, comtesse
de Montalbo (1825-1874) pour le Bowes Museum.
EXPOSITION
Paris, 1985-1986, cat. n° 13, repr. p. 98.
BIBLIOGRAPHIE
GROS-GALLINER, 1979, p. 54, repr. p. 52 ; HUMBERT, 1993, p. 17 ; YAMANE, 1995,
p. 86-87.

11
Atelier GALLÉ
Étude de décor pour le pichet Stanislas
Encre et aquarelle sur papier
21,9 x 25,7 cm
Nancy, musée de l'École de Nancy, MOD 168

HISTORIQUE
Don des descendants Gallé, 1981.
BIBLIOGRAPHIE
THOMAS, 2001-2002, p. 18.

12
Atelier GALLÉ
Piqué du pichet Stanislas
Crayon sur papier calque
20,7 x 25,2 cm
Nancy, musée de l'École de Nancy, MOD 170

HISTORIQUE
Don des descendants Gallé, 1981.

13
Atelier GALLÉ
Étude pour le pichet Stanislas
Crayon sur papier calque
12,3 x 24 cm
Nancy, musée de l'École de Nancy, MOD 28

HISTORIQUE
Don des descendants Gallé, 1981.
BIBLIOGRAPHIE
CHARPENTIER, 1984, p. 142.

14
Émile GALLÉ
Jardinière, médaillon Stanislas
Faïence à glaçure stannifère
H. 31 ; L. 42,5 ; P. 18 cm
Signature au pochoir, en bleu, sur le fond *Saint Clément*
Signature en bleu au revers de la jardinière
Saint Clément / Gallé Nancy
Lunéville, musée du Château, inv. 004.01.12

HISTORIQUE
Don de l'Association des amis de la Faïence ancienne
de Lunéville Saint-Clément, 2004.
EXPOSITION
Haroué, 2004.
BIBLIOGRAPHIE
LE TACON, 2004, p. 24.

15
Louis MAJORELLE – Léon (1833-1887)
et **Jules VOIRIN** (1833-1898)
Paravent
1886
Écran en trois pièces : bois sculpté doré,
vernis Martin
H. 157 ; L. 157 ; P. 7 cm
La Haye, collections royales, avec l'autorisation
de SM la reine Béatrix des Pays-Bas, inv. PLV 459

HISTORIQUE
Commande du roi de Hollande à la Maison
Majorelle en même temps qu'un ensemble
de mobilier, 1886.
BIBLIOGRAPHIE
BOUVIER, 1991, p. 99-100 et 149-150 ; LALONDE, 1993,
pl. 109 vol. II.

16
Léon et **Jules VOIRIN**
Promenade place de la Carrière à Nancy
Crayon, aquarelle et rehauts de blanc sur papier
28,5 x 20,1 cm
Signature en bas à gauche *Léon Voirin*
Tampon en bas à droite *Vente J et L VOIRIN / Nancy 1899*
Nancy, musée de l'École de Nancy, inv. 994.24.4

HISTORIQUE
Vente atelier Voirin, 1899 ; ancienne collection Corbin ;
don de l'Association des amis du musée de l'École de Nancy, 1994.
BIBLIOGRAPHIE
LALONDE, 1993, fig. n° 23 vol. I, pl. 206 vol. II.

17
Léon et **Jules VOIRIN**
Scène du XVIIIᵉ siècle au début de la rue Héré
Crayon, aquarelle sur papier
28,7 x 14,3 cm
Nancy, musée de l'École de Nancy, inv. 994.24.5

HISTORIQUE
Ancienne collection Corbin ; don de l'Association
des amis du musée de l'École de Nancy, 1994.
BIBLIOGRAPHIE
LALONDE, 1993, fig. n° 23 vol. I, pl. 209 vol. II.

18
Léon et **Jules VOIRIN**
Scène du XVIIIᵉ siècle avec des détails des places Royale,
de la Carrière et d'Alliance
Crayon et aquarelle sur papier
29,8 x 17,8 cm
Tampon en bas à droite *Vente / J et L VOIRIN / Nancy 1899*
Nancy, musée de l'École de Nancy, inv. 994.24.6

HISTORIQUE
Vente atelier Voirin, 1899 ; ancienne collection Corbin ;
don de l'Association des amis du musée de l'École de Nancy, 1994.
BIBLIOGRAPHIE
LALONDE, 1993, fig. n° 23 vol. I, pl. 207 vol. II.

19
Léon et **Jules VOIRIN**
Scène du XVIIIe siècle place de la Carrière
Crayon, aquarelle et rehauts de blanc sur papier
30,7 x 20,5 cm
Signature en bas à droite *J V*
Tampon en bas à droite *Vente / J et L VOIRIN / Nancy 1899*
Nancy, musée de l'École de Nancy, inv. 994.24.7

HISTORIQUE
Vente atelier Voirin, 1899 ; ancienne collection
Corbin ; don de l'Association des amis du musée
de l'École de Nancy, 1994.
BIBLIOGRAPHIE
LALONDE, 1993, fig. n° 23 vol. I, pl. 208 vol. II.

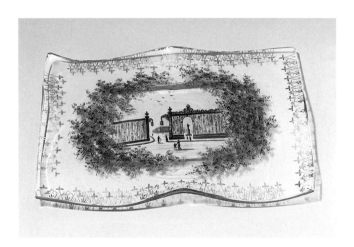

20
Émile GALLÉ
Vide-poche place Stanislas
1880-1884
Verre, décor émaillé et doré
H. 2 ; L. 17 ; l. 11,5 cm
Cologne, Museum für Angewandte Kunst, inv. F 1423

HISTORIQUE
Collection Funke-Kaiser.
EXPOSITIONS
Cologne, 1975, cat. n° 104 ; Cologne, 1982-1983,
cat. n° 10, p. 10.
BIBLIOGRAPHIE
KLESSE, MAYR, 1981, p. 188-189 ; KLESSE, 1991, n° 43, p. 38.

21
Auguste (1853-1909) et **Antonin** (1864-1930) **DAUM**
Gobelet, Service Stanislas
Après 1891
Verre soufflé-moulé, taillé et rehaussé d'or
H. 9 ; D. ouverture 6,1 cm
Nancy, musée des Beaux-Arts, inv. 99.12.23 (14)

HISTORIQUE
Don du groupe SAGEM, 1999.
EXPOSITION
Nancy, 2000, sans cat.
BIBLIOGRAPHIE
SALMON, BARDIN, 2000, n° 115.

22
TOUL-BELLEVUE
Jardinière dite Nancy-Toul
1894
Faïence à pâte blanche, décor polychrome de grand
feu peint sur émail et sous glaçure
H. 23 ; L. 42 cm
Sous la pièce, poinçon dans la pâte *FAÏENCERIE
DE TOUL*, monogramme *AT-1894*
Longwy-Herserange, château-musée Saint-Jean-
l'Aigle

EXPOSITION
Atlanta, Nancy, 1990-1991, cat. nᵒ 185.

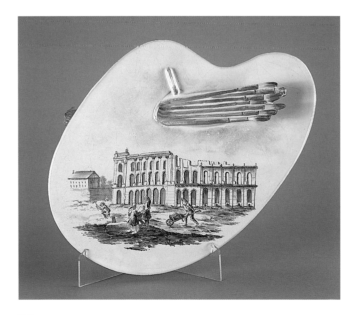

23
Atelier GALLÉ
Détail d'une lanterne de la place Stanislas
Aquarelle sur papier Canson
41,1 x 32,5 cm
Nancy, musée de l'École de Nancy, MOD 175

HISTORIQUE
Don des descendants Gallé, 1981.

24
Émile GALLÉ
Jardinière murale en forme de palette
Faïence, décor en camaïeu bleu de grand feu
H. 36,8 ; L. 26 ; P. 7,9 cm
Marque peinte en bleu au dos *N / E. Gallé / Nancy*
Nancy, musée de l'École de Nancy, inv. 74

HISTORIQUE
Don de J.-B. Eugène Corbin, 1935.
BIBLIOGRAPHIE
CHARPENTIER, 1984, nᵒ 98 p. 116.

25
Dominique COLLIN (1725-1781) d'après **Jean GIRARDET** (1709-1778)
Stanislas faisant construire la place Royale
Gravure sur papier
21,5 x 24,2 cm
Nancy, bibliothèque municipale, inv. FG PORTRAITS (Stanislas)

BIBLIOGRAPHIE
Collectif, 1966, p. 104 ; GABER, 1985, p. 72.

26
Émile GALLÉ
Cocotte porte Saint-Georges
1883-1884
Faïence
H. 8,3 ; L. 9,5 ; l. 4,5 cm
Signature au revers de la patte gauche *E‡G déposé*
Lunéville, musée du Château, inv. 002.01.034

BIBLIOGRAPHIE
DEBIZE, 1998, p. 11 ; THIÉBAUT, 2004, p. 50.

Les formes rocaille

Rococo ou rocaille ? C'est au XIXe siècle que les historiens inventent le terme de rococo pour qualifier la période artistique correspondant au style Louis XV. Ce choix souligne la place importante que devait prendre l'ornement rocaille, et le rôle primordial qu'allaient jouer les arts décoratifs par rapport aux autres arts.

Un des exemples les plus étonnants, et toujours en place aujourd'hui, de l'alliance entre toutes les formes d'art et du dialogue entre le XVIIIe siècle de Stanislas et les futurs artistes de l'École de Nancy se trouve au cœur de l'église Notre-Dame de Bonsecours. Le visiteur peut y admirer la concordance de style entre les deux confessionnaux en bois sculpté exécutés par l'ébéniste Eugène Vallin (1856-1922) en 1884 et le décor de l'édifice religieux, conçu par Emmanuel Héré pour Stanislas, où domine l'élément rocaille, voué à la formalisation d'un baroque démesuré. L'œuvre de Vallin – une de ses premières réalisations – fut particulièrement remarquée et publiée à titre de modèle[1].

C'est effectivement de modèles que partaient les jeunes artistes nancéiens pour comprendre et étudier les leçons du passé, et en particulier la complexité de ce motif rocaille, son goût pour l'asymétrie, l'aspect pittoresque de ses contours capricieux et imprévus, à base d'arabesques qui s'étirent, se dédoublent ou s'opposent sans fin. De l'exubérance rococo du pavillon de Chanteheux, construit en 1744 par Emmanuel Héré dans les jardins du château de Lunéville, il ne subsiste qu'un recueil décrivant les décors intérieurs, lambris et cheminées[2], revêtus de rocailles incrustées dans le stuc et d'un luxe inouï. Les dessins de Louis Beaupré (1860-1928), publiés en 1886, sont dans le même esprit : des motifs d'ornementation de style Louis XV « pleins d'une verve coquette et traités avec une science parfaitement comprise de la rocaille[3] ». D'autres projets d'intérieurs suivront (cat. 49 à 52) ; datés de 1894, probablement jamais réalisés, ils sont la preuve d'une admiration jamais désavouée pour ce XVIIIe siècle à l'imagination débridée.

D'une manière plus générale, les artistes de l'École de Nancy ne manquent pas de références. Les dessinateurs et ornemanistes du XVIIIe siècle ont laissé quantité d'ouvrages réédités au siècle suivant. Les motifs rocaille dessinés et gravés d'après les planches de l'ébéniste parisien Nicolas Pineau ont fortement inspiré les Majorelle père et fils (cat. 43). Si Louis Majorelle choisit de présenter sur ses catalogues l'argenterie du Parisien Victor Saglier, n'est-ce pas un hommage au célèbre maître orfèvre Juste Aurèle Meissonnier (1695-1750), qui sut imprimer une forme rocaille aux objets ? La « grande jardinière rocaillée, forme navire[4] » d'Émile Gallé (cat. 42) évoque, elle aussi, sans ambiguïté – ni grande originalité, d'après son auteur –, la forme Louis XV rococo et son vocabulaire : pieds en dauphin, coquilles, volutes.

C'est probablement dans les arts du feu que la fantaisie rococo s'est le mieux exprimée. Les céramiques de Gallé, souvent fabriquées à partir de moules anciens, font constamment allusion au style Louis XV, pastichant de manière convenue formes et motifs (cat. 30) ou usant de la référence plus délicatement, tel le petit encrier conçu sur le thème de l'amour (cat. 31).

Tous les artifices du baroque sont amplement réutilisés par les artistes de l'École de Nancy : agrandir, accumuler les effets, traiter des éléments naturalistes sans distinction ni limites de dimensions, passer de la représentation à la suggestion. Mais de l'emprunt littéral au XVIIIe siècle, Gallé, Majorelle et Daum sauront se défaire pour repenser l'affectation et la démesure des formes et des motifs, et réinventer des modèles en fonction de la logique naturaliste.

1 *Nancy Artiste*, 19 décembre 1886, p. 331.
2 HÉRÉ, 1750.
3 *Nancy Artiste*, 21 mars 1886.
4 GALLÉ, 1998, p. 369.

27
Émile GALLÉ
Cache-pot à décor de paysage
et de monnaie-du-pape
Vers 1880-1882
Faïence, décor bleu et doré
H. 24 ; L. 21 ; l. 15,4 cm
Signature peinte sous la pièce *E. Gallé*
Collection particulière

HISTORIQUE
Pièce jamais passée dans le commerce.

28
Émile GALLÉ
Cache-pot à décor de paysage
et de monnaie-du-pape
Vers 1880-1882
Faïence, décor bleu et doré
H. 24 ; L. 21 ; l. 15,9 cm
Signature peinte sous la pièce *E. Gallé*
Collection particulière

HISTORIQUE
Pièce jamais passée dans le commerce.

29
Émile GALLÉ
Écritoire
Vers 1892
Faïence
H. 16,5 ; L. 35 ; P. 26 cm
Signature peinte au dos *E Gallé Nancy*
Collection particulière

HISTORIQUE
Pièce jamais passée dans le commerce ;
datation d'après l'étude d'un modèle identique
annoté *Avril 1892*, musée de l'École de Nancy,
MOD 9.

30
Émile GALLÉ
Cartel de style Louis XV
Vers 1884
Faïence stannifère, décor polychrome de grand feu sous couverte
transparente à reflets métalliques, rehauts d'or
H. 69 ; L. 47 cm
Étiquette ronde ancienne au revers *Emile Gallé. Nancy-Paris*
Nancy, musée de l'École de Nancy, inv. VV 81.1

HISTORIQUE
Achat, 1981.
EXPOSITION
Nancy, 1999, cat. n° 141, repr. p. 305.
BIBLIOGRAPHIE
CHARPENTIER, 1984, n° 125, p. 126.

31
Émile GALLÉ
Encrier
Vers 1864-1867
Faïence
H. 9 ; L. 7 cm
Signature peinte sous la pièce *Gallé Nancy*
Inscription *Un peu / Beaucoup*
Collection particulière

HISTORIQUE
Pièce jamais passée dans le commerce.

32
Atelier GALLÉ
Dessin « Un peu beaucoup »
Vers 1864-1867
Gouache sur papier
10,2 x 17,9 cm
Inscription *Un Peu / Beaucoup*
Paris, musée d'Orsay, inv. ARO 1986.595

HISTORIQUE
Don de M. et Mme Jean Bourgogne, 1986.

33
Atelier GALLÉ
Piqué « Un peu beaucoup »
Crayon sur papier calque piqué
7,8 x 11,4 cm
Inscription *Un Peu*
Paris, musée d'Orsay, inv. ARO 1986.187.6

HISTORIQUE
Don de M. et Mme Jean Bourgogne, 1986.

34
Atelier GALLÉ
Piqué « Un peu beaucoup »
Vers 1864-1867
Crayon sur papier calque piqué
8 x 9,4 cm
Inscription *Beaucoup*
Paris, musée d'Orsay, inv. ARO 1986.187.7

HISTORIQUE
Don de M. et Mme Jean Bourgogne, 1986.

35
Atelier GALLÉ
Piqué « Un peu beaucoup »
Vers 1864-1867
Crayon sur papier calque piqué
7 x 13,3 cm
Inscription *Passionnément*
Paris, musée d'Orsay, inv. ARO 1986.187.8

HISTORIQUE
Don de M. et Mme Jean Bourgogne, 1986.

36
Atelier GALLÉ
Piqué « Un peu beaucoup »
Vers 1864-1867
Crayon sur papier calque piqué
7,5 x 15,2 cm
Inscription *Pas du tout*
Paris, musée d'Orsay, inv. ARO 1986.187.9

HISTORIQUE
Don de M. et Mme Jean Bourgogne, 1986.

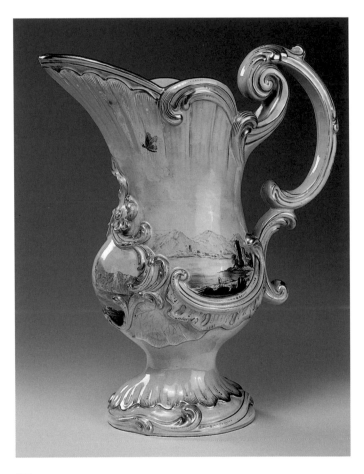

37
Émile GALLÉ
Garniture de toilette
Vers 1875
Faïence, décor en camaïeu de petit feu et rehauts d'or
sur couverte grisâtre
H. 34,8 ; D. 27,7 cm
Marque en creux sous la pièce *Emile Gallé / Nancy*
Nancy, musée de l'École de Nancy, inv. JK 2

HISTORIQUE
Achat, 1970.
BIBLIOGRAPHIE
CHARPENTIER, 1984, n° 77, p. 111.

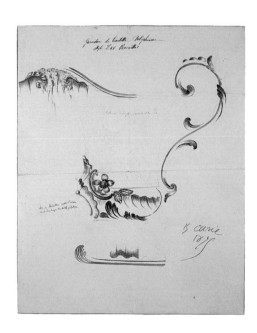

38
Atelier GALLÉ
Étude d'une garniture de toilette
1875
Aquarelle sur papier
43,6 x 34,5 cm
Inscriptions *Garniture de toilette Polychrome / Style
LXV Rocailles / Mettre ici le sujet Faisan n° 2C / dans
ce Médaillon mettre l'oiseau / & les branchages du
motif polychrome / 15 avril / 1875*
Nancy, musée de l'École de Nancy, MOD 15

HISTORIQUE
Don des descendants Gallé, 1981.
BIBLIOGRAPHIE
CHARPENTIER, 1984, p. 111.

39
Auguste et **Antonin DAUM**
Verre de mariage
Vers 1892
Verre gravé et opacifié à l'acide
H. 15,2 ; D. base 8,2 cm
Chiffre peint à l'or *MS*
Nancy, musée de l'École de Nancy, inv. MT 82

HISTORIQUE
Don de la fille de l'auteur-dessinateur chez Daum,
1982.

40
Auguste et **Antonin DAUM**
Cruche montée
Vers 1895-1896
Verre à plusieurs couches, décor gravé, argent
H. 25 cm
Signature sur la pièce *Daum Nancy ‡*
Signature sur la monture *N. Trübner Heidelberg*
Francfort, Museum für Angewandte Kunst,
inv. Nr 13159b

EXPOSITION
Munich, 1980, cat. n° 425, repr. p. 374.

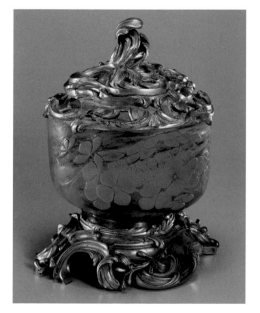

41
Émile GALLÉ
Vase Hydrangea
1889
Verre, décor intercalaire gravé
H. 24,5 ; D. 17,7 - 20 cm
Gifu, Hida Takayama Museum of Art, inv. N-017

EXPOSITION
Kyoto, 2004, cat. n° 14, repr. p. 35.
BIBLIOGRAPHIE
MUKAI, 1997, p. 102.

43
Louis MAJORELLE
Table à thé ou table en cabaret à plateau d'entrejambe
1885-1890
Chêne plaqué de noyer, décor de laque
H. 78,5 ; L. 98 ; P. 74 cm
Étiquette sous chaque plateau *FABRIQUE A NANCY /
3, Rue Girardet / LOUIS MAJORELLE / DEPOT / 56, RUE DE
PARADIS / PARIS*
Nancy, musée de l'École de Nancy, inv. 990.10.1

HISTORIQUE
Don de l'Association des amis du musée de l'École
de Nancy, 1990.
BIBLIOGRAPHIE
Bouvier, 1990, p. 1 ; Bouvier, 1991, p. 143.

42
Émile GALLÉ en collaboration avec **Victor PROUVÉ** (1858-1943)
et **Louis HESTAUX** (1858-1919)
Jardinière Flora marina Flora exotica
1889
Poirier sculpté, marqueterie de bois divers : amarante, amourette, ébène de Macassar,
érable moucheté, loupe de noyer, maidu, orme, padouk, palissandre de Madagascar,
permambouc, peroba rose, poirier, prunier, sycomore teinté, tulipier, zebrabo-zingana.
H. 110 ; L. 81 ; l. 30 cm
Sur le côté étroit le plus haut, pyrogravé *Flora marina / Flora exotica*, signé *Emile Gallé ft
Nancy / Paris Expos.1889* et *EG* dans un cartouche oblong
Nancy, musée de l'École de Nancy, inv. NV76

HISTORIQUE
Ancienne collection Émile Gallé ; proposée lors de la vente, Hôtel Drouot, Paris, Mᵉ Ader,
12 avril 1976 ; achat, vente Neufchâteau, Mᵉ Morelle, 14 novembre 1976.
EXPOSITIONS
Paris, Exposition universelle, 1889, groupe III, classe 17 ; Paris, 1985-1986, cat. n° 152,
repr. p. 249 et p. 262-264 ; Nancy, 1999, cat. n° 149, repr. p. 54 ; Nancy, 2002-2003, cat. n° 15,
repr. p. 44-45.
BIBLIOGRAPHIE
Gallé, 1889, n° 8 ; Gallé, 1908, p. 369 ; Charpentier, 1978, p. 60 ; *La Chronique des Arts*, 1978,
p. 12 ; Duncan, 1982, p. 70 ; Alcouffe, Bascou, Dion-Tenenbaum, Thiébaut, 1988, p. 262 ;
Collectif, 1989, p. 189 ; Thiébaut, 1995, p. 52 ; Nouvel-Kammerer, 1996, p. 92 ; Thiébaut, 1996,
p. 72 ; Debize, 1998, p. 20 ; Thomas, 2001, p. 34-35 ; Thiébaut, 2004, p. 37 ; Laurent, 2005, p. 182.

44
Atelier GALLÉ
Étude d'une cruche de style rocaille
Crayon sur papier Canson
31,2 x 17,6 cm
Inscription *donner à / cette distance /* [?] */ avec /*
1/10 en sus
Nancy, musée de l'École de Nancy, MOD 69

HISTORIQUE
Don des descendants Gallé, 1981.

45
Atelier GALLÉ
Étude d'un vide-poche
Crayon sur papier Canson
25,6 x 30,2 cm
Nancy, musée de l'École de Nancy, MOD 66

HISTORIQUE
Don des descendants Gallé, 1981.

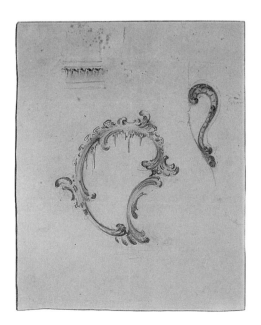

47
Atelier GALLÉ
Piqué, scène de chasse
1873
Crayon et aquarelle sur papier piqué
13,6 x 30,7 cm
Inscription *Sujet polychrome pour Jardinière or LXV /*
30 octobre 1873
Paris, musée d'Orsay, inv. ARO 1986.19537

HISTORIQUE
Don de M. et Mme Jean Bourgogne, 1986.

46
Atelier GALLÉ
Étude de détails de cruche
Crayon sur papier
34,1 x 22,9 cm
Inscription *à / grossir*
Nancy, musée de l'École de Nancy,
MOD 226

HISTORIQUE
Don des descendants Gallé, 1981.

48
Atelier GALLÉ
Modèle de décor pour une jardinière Louis XV en faïence
1873
Crayon et aquarelle sur papier
21,5 x 35 cm
Inscription *Sujet polych. pour Jardinière or LXV / il faut peindre les chiens en violet. / 30 octobre 1873*
Paris, musée d'Orsay, inv. ARO 1986.903

HISTORIQUE
Don de M. et Mme Jean Bourgogne, 1986.

50
Louis BEAUPRÉ
Projet de plafond
1893
Plume sur papier collé sur carton
39,3 x 50 cm
Signé et daté à l'intérieur du dessin *L. Beaupré, oct. 93*
Nancy, musée de l'École de Nancy, inv. FZ 84 24

HISTORIQUE
Don de M. Ferez, 1984.

49
Louis BEAUPRÉ (1860-1928)
Projet pour un intérieur
de style Louis XV
1894
Plume sur papier collé sur carton
39,3 x 53,5 cm
Signé et daté en bas à droite
Louis Beaupré 24 janvier 94
Nancy, musée de l'École
de Nancy, inv. FZ 84 23

HISTORIQUE
Don de M. Ferez, 1984.

51
Louis BEAUPRÉ
Projet de lit à baldaquin avec deux fauteuils
1894
Plume et aquarelle sur papier de type Canson
43,7 x 34,9 cm
Signé et daté en bas à droite *Bons L. Beaupré déc. 94*
Nancy, musée de l'École de Nancy, inv. FZ 84 21

HISTORIQUE
Don de M. Ferez, 1984.

53
Victor SAGLIER Frères
Jardinière chrysanthème et son plateau
Vers 1903
Orfèvrerie argentée vieil argent
Jardinière : H. 15 ; L 47,3 ; l. 21 cm
Plateau : L. 54 ; l. 37 cm
Collection particulière

HISTORIQUE
Modèle présenté dans les catalogues de la maison Majorelle 1902-1904.

52
Louis BEAUPRÉ
Projet de chambre avec lit à baldaquin
1895
Plume et aquarelle sur papier
45 x 37,3 cm
Signé et daté en bas à droite *Louis Beaupré janv. 95*
Nancy, musée de l'École de Nancy, inv. FZ 84 22

HISTORIQUE
Don de M. Ferez, 1984.

54
Atelier GALLÉ
Modèle de surtout à compartiments
Crayon et rehauts de craie blanche sur papier
46,9 x 61,3 cm
Inscription *5*
Paris, musée d'Orsay, inv. ARO 1987.6.5

HISTORIQUE
Don de M. et Mme Jean Bourgogne, 1987.

Le néo-Louis XVI

Le goût pour le style Louis XVI, initié dès 1845, va connaître sous le Second Empire un fort développement. C'est à l'impératrice Eugénie, qui voue un véritable culte à la mémoire de Marie-Antoinette, que l'on doit cette mode qui se répand aussi bien dans la décoration intérieure que dans les arts appliqués. Les artistes de l'École de Nancy, qui suivent les artistes de cette période, vont donc aussi être marqués par cet engouement. Ce dernier est visible dans l'emploi de certains motifs au premier rang desquels se situent les guirlandes et les rubans, fort présents sous le règne de Louis XVI. Ceux-ci composent le seul ornement, peint à l'or, sur le service de verres (cat. 66 et 67) des frères Daum, daté de 1891, alors que le vase cornet, le sucrier et la coupe (cat. 59, 60 et 61) créés par Émile Gallé vers 1867 associent ces motifs, dans de délicats tons bleutés, à des fleurs de myosotis.

Les rubans et les guirlandes sont aussi employés dans les céramiques de Gallé et de Majorelle. Mais ces motifs décoratifs sont utilisés sur des formes dont certains détails rappellent le goût pour l'Antiquité, qui se diffuse justement dans l'art français de la seconde moitié du XVIIIe siècle. Aussi ne doit-on pas être surpris de voir le chandelier, la coupe vide-poche et le bougeoir créés par les deux principales maisons nancéiennes (cat. 55, 57 et 58) reposer sur un élément évoquant une colonne dorique. Cette rigueur de l'Antiquité est également décelable dans le meuble de Louis Majorelle (cat. 68) dont les formes droites s'opposent aux courbes du style rocaille.

Le service de verres coniques conçu par Émile Gallé vers 1880 (cat. 62, 63, 64 et 65) témoigne d'une influence plus lointaine du style Louis XVI. Le dépouillement de la forme et de la technique décorative – simple gravure sur du verre blanc – s'oppose à la délicatesse et à la subtilité des ornements comprenant motifs végétaux et citations poétiques qui se développent sur la paroi des verres. Ces derniers annoncent les deux principales sources vers lesquelles le chef de file de l'École de Nancy va se tourner après avoir épuisé les modèles anciens, le répertoire naturaliste et l'écrit.

55
Émile GALLÉ
Chandelier de style Louis XVI
Modèle créé vers 1867-1870
Faïence stannifère, décor polychrome de petit feu
sous couverte transparente, rehauts d'or
H. 20 ; L. 11 cm
Nancy, musée de l'École de Nancy, inv. BP 75

HISTORIQUE
Don, 1975.
EXPOSITION
Nancy, 1999, cat. n° 135, repr. p. 302.
BIBLIOGRAPHIE
Charpentier, 1984, n° 70, p. 108.

56
Émile GALLÉ
Console d'angle Nid d'hirondelles ou La Becquée
Modèle créé vers 1867-1871
Faïence stannifère, décor en camaïeu bleu de grand feu sous couverte
transparente, rehauts jaunes et terre brute
H. 30,7 ; L. 32,5 ; P. 25 cm
Marque peinte en bleu sur le côté droit de l'objet *Gallé Nancy /*
St Clément (index B9)
Nancy, musée de l'École de Nancy, inv. OAO 1120,
dépôt du musée d'Orsay

HISTORIQUE
Don de M. et Mme Jean Bourgogne, 1981.
Dépôt du musée d'Orsay, 1986.
EXPOSITIONS
Londres, Exposition internationale, 1871 (modèle identique) ;
Nancy, 1999, cat. n° 136, repr p. 304.
BIBLIOGRAPHIE
Charpentier, 1984, n° 133, p. 25.

57
Émile GALLÉ
Coupe vide-poche
1864, 1876-1884
Faïence, décor polychrome de petit feu sur émail
stannifère blanc
H. 19,4 ; L. 15,2 ; l. 12 cm
Signé en rose violacé sous le pied *E. Gallé / Nancy*
Nancy, musée de l'École de Nancy, inv. HV 81.1

HISTORIQUE
Achat, 1981.
EXPOSITION
Paris, 1985-1986, cat. n° 4, repr. p. 89.
BIBLIOGRAPHIE
Charpentier, 1984, p. 109 ; Humbert, 1993, p. 104 ;
Debize, 1998, p. 51.

58
Auguste MAJORELLE – LUNÉVILLE
Bougeoir
Vers 1860-1878
Faïence à pâte blanche, décor de moufle
H. 25 ; D. base 12 cm
Marque imprimée en rouge sous le pied
A. MAJORELLE
Longwy-Herserange, château-musée Saint-Jean
l'Aigle

EXPOSITION
Atlanta, Nancy, 1990-1991, cat. n° 188, repr. p. 286.

60
Charles GALLÉ
Coupe
Vers 1867
Verre incolore, décor peint et émaillé bleu
H. 14 ; D. 24 cm
Signature sous le pied *Gallé à Nancy*
Collection particulière

HISTORIQUE
Pièce jamais passée dans le commerce.

59
Émile GALLÉ
Vase cornet à quatre lobes
1872-1878, 1900
Verre transparent incolore (vaisseau), verre transparent rose (pied),
filets vénitiens, émaux
H. 30,1 ; D. ouverture 9 cm
Signé en creux à la verticale à la base du vaisseau *E.Gallé 1878*
Inscription gravée et émaillée sous le pied *Réédité / en sa cristal /
de Nancy / Gallé / 1900*
Nancy, musée de l'École de Nancy, inv. AD 24

HISTORIQUE
Achat de la commission du musée d'Art décoratif à Gallé, 1904 ;
le registre d'inventaire donne comme date de réalisation 1872.
EXPOSITIONS
Paris, Exposition universelle, 1878 (modèle identique) ; Paris,
Exposition universelle, 1900 (modèle identique) ; Paris, 1985-1986,
cat. n° 69, repr. p. 159.
BIBLIOGRAPHIE
Humbert, 1993, p. 47 ; Debize, 1998, p. 50 ; Le Tacon, 1998, p. 150 ;
Yamane, 1999, p. 91 ; Thomas, 2004, cat. n° 104, p. 90.

61
Charles GALLÉ
Sucrier et son couvercle, service Fleurs et Rubans
Vers 1867
Verre incolore, décor émaillé
H. 8 (14 avec couvercle) ; D. 10 cm
Étiquette ancienne 25
Nancy, musée de l'École de Nancy, inv. VD 5.1 et VD 5.2

HISTORIQUE
Acquis en vente publique, 1967.
BIBLIOGRAPHIE
THOMAS, 2004, cat. n° 3, p. 46.

62
Émile GALLÉ
Verre conique à pied côtelé
Vers 1880
Verre, décor gravé
H. 10,7 ; D. 7 cm
Inscription gravée *Corydalis lutea, D.*
Limoges, musée Adrien-Dubouché, inv. V284

HISTORIQUE
Legs Mme Veuve Masson, 1913.

63
Émile GALLÉ
Verre conique à pied côtelé
Vers 1880
Verre, décor gravé
H. 10,5 ; D. 6,5 cm
Inscription gravée *Lynaria cymbalaria*
Limoges, musée Adrien-Dubouché, inv. V285

HISTORIQUE
Legs Mme Veuve Masson, 1913.

64
Émile GALLÉ
Verre conique à pied côtelé
Vers 1880
Verre, décor gravé
H. 10,7 ; D. 7 cm
Inscriptions gravées *Myosotis palustris alsatica*,
et dans un cartel *Vergist mein nicht*
Limoges, musée Adrien-Dubouché, inv. V286

HISTORIQUE
Legs Mme Veuve Masson, 1913.

65
Émile GALLÉ
Verre conique à pied côtelé
Vers 1880
Verre, décor gravé
H. 10,5 ; D. 6,5 cm
Inscription gravée *Ophrys mouche*
Limoges, musée Adrien-Dubouché, inv. V 287

HISTORIQUE
Legs Mme Veuve Masson, 1913.

66
Auguste et **Antonin DAUM**
Verre *Service Régence, Décor II*
Vers 1891
Verre soufflé-moulé, taillé et rehaussé d'or,
applications
H. 17,6 ; D. 7,5 cm
Nancy, musée des Beaux-Arts, inv. 99.12.12 (19)

HISTORIQUE
Don du groupe SAGEM, 1999.
EXPOSITION
Nancy, 2000, sans cat.
BIBLIOGRAPHIE
Salmon, Bardin, 2000, n° 38.

67
Auguste et **Antonin DAUM**
Flûte à champagne *Service Régence, Gravure I*
1891
Verre soufflé-moulé, taillé, gravé et rehaussé d'or,
applications
H. 18,3 ; D. 5,1 cm
Nancy, musée des Beaux-Arts, inv. 99.12.12 (5)

HISTORIQUE
Don du groupe SAGEM, 1999.
EXPOSITION
Nancy, 2000, sans cat.
BIBLIOGRAPHIE
Salmon, Bardin, 2000, n° 43.

68
Louis MAJORELLE
Meuble de salon peint néo-Louis XVI
Bois, marbre, peinture
H. 122 ; L. 66 ; P. 37 cm
Collection particulière

HISTORIQUE
Probablement acquis au magasin Majorelle de Lille,
entre 1908-1920.

70
Émile GALLÉ
Bureau de dame Dahlia
1895
Bois, marqueterie
H. 138 ; L. 79 ; P. 52 cm
Signature sur le plateau *Gallé à Nancy*
Collection particulière

HISTORIQUE
Pièce jamais passée dans le commerce.
EXPOSITION
Paris, Exposition universelle, 1900 (modèle identique).
BIBLIOGRAPHIE
DUNCAN, 1996, p. 222. (modèle identique)

69
Louis MAJORELLE
Vitrine, d'une paire
Vers 1910
Amarante, chêne et acajou, placage de palissandre, loupe de thuya,
laiton et nacre
H. 180 ; L. 140 ; P. 50 cm
Nancy, musée de l'École de Nancy, inv. 990.29.1

HISTORIQUE
Legs Banlier, 1990.

L'influence de la science

Les effets de matière et les sensations colorées

L'influence du siècle des lumières sur l'École de Nancy n'est pas seulement formelle, elle s'exprime aussi à travers un héritage spirituel.

Au XVIIIe siècle, les théories sur les relations entre les sensations et les couleurs, les études sur la physiologie de la perception visuelle ont donné lieu à un abondant débat que soulève Diderot dans l'*Encyclopédie* à propos de la « question du beau ». Un siècle plus tard, les découvertes du chimiste Eugène Chevreul (1786-1889) ont contribué à une meilleure connaissance de la couleur. On lui doit une théorie fondée sur l'emploi des cercles chromatiques dont s'inspirèrent les artistes en cette fin de siècle.

Dans le même temps, les sciences positives s'intéressent à l'individu, mettant au jour des territoires à explorer du psychisme et de l'affectif. C'est dans cette démarche que s'inscrit Émile Gallé. Il agit en scientifique quand il étudie la faune et la flore de Lorraine. Il en examine la structure, en analyse la couleur mais il va plus loin. Il met la science et les découvertes de son temps à profit pour mieux exprimer, par des effets de matière et de couleur, des sensations poétiques. Il explore les possibilités du verre et du bois pour ouvrir des voies d'accès à la sphère des émotions, du côté du rêve, du côté du désir.

La connaissance des sciences naturelles lui paraît faire nécessairement partie de l'apprentissage des ouvriers d'art. Aussi la conférence qu'il a prononcée lors de la seconde séance d'enseignement de l'École de Nancy (28 avril 1901) s'intitule-t-elle *De la nécessité des notions physiologiques pour le compositeur désireux de créer une ornementation en harmonie avec la diffusion moderne des sciences naturelles*. La position est courageuse : imaginer une science fécondant l'art, et un art illuminant la science.

Les expériences chromatiques que Gallé n'a cessé de mener dans le domaine du verre multicouche, de la marqueterie, des inclusions de métaux, relèvent de ce besoin d'exprimer des sensations à partir des effets de lumière. Le vase *Les Feuilles des douleurs passées* de 1900 (cat. 71) est riche d'un contenu symbolique ; la préciosité de la palette colorée, entre gris et bleu, en signifie la mélancolie. Datée de 1893, la buire *Le Coudrier*, réalisée dans une gamme de tons dorés et blonds, suggère l'atmosphère poétique d'un début d'année. Le bleu et le doré sont deux couleurs chères au XVIIIe siècle. Le bleu était devenu, au temps des lumières, une couleur de premier plan. D'abord par la découverte d'un nouveau pigment artificiel permettant l'obtention de tons nouveaux, ensuite par le développement d'une symbolique renouvelée lui accordant la première place, en en faisant définitivement la couleur du progrès, des lumières, des rêves et des libertés. On comprend aisément que Gallé et Daum se soient laissé influencer par de tels arguments. Le doré, lui, renvoie aux ors des boiseries du XVIIIe siècle : ainsi les socles en bronze doré ciselé des vases Hydrangea de Gallé (cat. 41) et Épines des frères Daum (cat. 76), l'utilisation du bois doré pour les meubles de salon de Majorelle.

Que d'hommages au siècle des lumières !

Le bleu

71
Émile GALLÉ
Vase *Les Feuilles des douleurs passées*
1900
Verre soufflé à trois couches, inclusion de parcelles métalliques,
marqueterie de verre
H. 14,3 ; D. 12,8 cm
Signé en creux *Gallé*
Inscription gravée *Les feuilles des douleurs passées / Maurice Maeterlinck*
Düsseldorf, Museum Kunst Palast, Glasmuseum Hentrich,
inv. P1970-213+6

EXPOSITIONS
Munich, 1969, cat. n° 66 ; Houston, Chicago, 1976, cat. n° 331, repr. p. 218 ;
Munich, 1980, cat. n° 243, repr. p. 92 ; Zurich, 1980, cat. n° 118 ; Paris,
1985-1986, cat. n° 127 ; Odakyu, Kasama, Yamagata, Hamamatsu,
Hiroshima, Umeda, Gifu, 1991-1992, cat. n° 23, repr. p. 45 ; Paris, 1997,
cat. n° 354, repr. p. 436 ; Nancy, 1999, cat. n° 113, repr. p. 168 ; Tokyo, Osaka,
2005, cat. n° 53, repr. p. 64-65, p. 229.
BIBLIOGRAPHIE
GROVER, 1970, p. 190 ; HILSCHENZ, 1973, n° 220 p. 280, p. 27 ; YOSHIMIZU, 1977,
 p. 12 ; HILSCHENZ, RICKE, 1985, n° 267 p. 215, p. 214 ; THIÉBAUT, 1999, p. 43.

72
Auguste et **Antonin DAUM**
Vase bleuté à trois cabochons
1905-1910
Verre soufflé-moulé et applications
H. 28,2 ; D. col 12,2 cm
Nancy, musée des Beaux-Arts, inv. 95.1.83

HISTORIQUE
Don de la Cristallerie Daum-Nancy, 1985.
EXPOSITION
Nancy, 1981-1982, cat. n° 94, p. 40.
BIBLIOGRAPHIE
SALMON, BARDIN, 2000, n° 280.

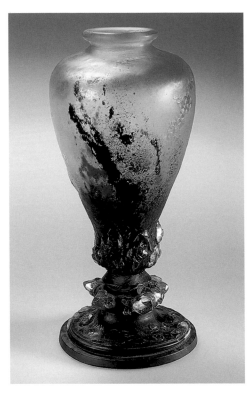

74
Émile GALLÉ
Boîte Plantes des marais
Vers 1889-1892
Verre, décor émaillé et doré, couvercle en argent doré
H. 16,4 ; D. 17,7 cm
Signé sous la pièce *Pour bonheur / Emile Gallé A / déposé*
Zurich, musée Bellerive, inv. Nr 1993-14

EXPOSITIONS
Darmstadt, Berlin, 1999-2000, cat. n° 302, repr. p. 312 ; Gingins, Bielefeld, Dormagen, Bordeaux, 1999-2001, cat. n° 63.

73
Émile GALLÉ
Vase Géologie
Vers 1903-1904
Verre soufflé, application de cabochons sur feuilles d'or, gravé à l'acide et à la roue
H. 24,9 ; D. 11,5 cm
Signé à la base *Gallé*
Nancy, musée de l'École de Nancy, inv. KG 1

HISTORIQUE
Vase commandé à Gallé par son cousin, le peintre Jules Koenig ; achat, 1966.
EXPOSITIONS
New York, 1984, cat. n° 13, repr. p. 80-81-83 ; Nancy, 1999, cat. n° 126, repr. p. 78 ; Darmstadt, Berlin, cat. n° 304, repr. p. 313.
BIBLIOGRAPHIE
CHARPENTIER, 1968, p. 388 ; DUNCAN, BARTHA, 1984, p. 114 ; THIÉBAUT, 1996, p. 32 ; LE TACON, 1998, p. 146 ; THIÉBAUT, 2004, repr. p. 65 ; THOMAS, 2004, cat. n° 315, repr. p. 179 et 183.

75
Émile GALLÉ
Vase Moonwort
1894
Verre double couche, soufflé, moulé, inclusions intercalaires et métalliques, gravure à la roue
H. 20 ; D. base 5,1 ; D. 5,2 cm
Signé et dédicacé sous la base *Ad HH. Amicis fime E Gallé*
Inscription gravée sur le flanc du vase *Recondite vobis thesauros in coelos*
Nancy, musée de l'École de Nancy, inv. HH 8

HISTORIQUE
Ancienne collection Henry Hirsch ; achat à Claude Hirsch, 1955.
EXPOSITIONS
Nancy, 1894 ; Paris, SNBA, 1894, cat. n° 387 ; Paris, 1933, cat. n° 1427.
BIBLIOGRAPHIE
THIÉBAUT, 1996, p. 16 ; THOMAS, 2004, n° 178, p. 123.

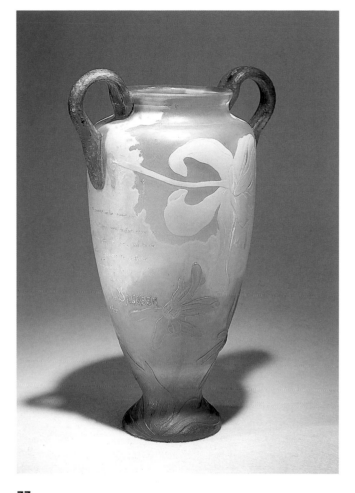

76
Auguste et **Antonin DAUM**
Vase Épines
Verre opalescent doublé, décor gravé à la meule,
martelé, applications, monture en bronze
H. 27,8 ; D. monture 13,7 ; D. ouverture 14,8 cm
Signature gravée sous la base *Daum Nancy*
Collection Neumann, inv. no J-327

HISTORIQUE
Galerie des Arts décoratifs, Lausanne, 1974.
EXPOSITIONS
Zurich, 1986, cat. n° 17 ; Nancy, 1999, cat. n° 67,
repr. p. 295.
BIBLIOGRAPHIE
GARNIER, 1979, p. 75 ; BARTHA, s. d., p. 33.

77
Auguste et **Antonin DAUM**
Vase La Sagesse. V. Hugo
1897
Verre soufflé-moulé, triple couche, gravé à l'acide et à la roue,
rehaussé d'or et cabochons, anses en application
H. 30 ; D. 13,5 cm
Signature gravée et rehaussée d'or sous l'objet *DAUM / NANCY / ‡*
Inscription en réserve et rehaussée d'or sur la paroi *Ainsi tu resteras,
comme un lis, comme un cygne / blanche entre les fronts purs marqués
d'un divin signe / et tu seras de ceux qui, sans peur, sans ennui / des
saintes actions amassant la richesse / rangent leur barque au port / leur
vie à / la SAGESSE / V. Hugo / Noël 1897*
Nancy, musée des Beaux-Arts, inv. 80.3.2

HISTORIQUE
Don de Michel Daum, 1980.
EXPOSITIONS
Nancy, 1981-1982, cat. n° 37, p. 26 ; Tokyo, 1993, cat. n° 22, p. 51 ;
Karlsruhe, 1995, cat. n° 16, p. 38 ; Tokyo, Kanazawa, Osaka, Shimonoseki,
2001-2002, cat. n° 57, repr. p. 75.
BIBLIOGRAPHIE
BLOCH-DERMANT, 1974, p. 159 ; DAUM, 1980, p. 113 ; PETRY, 1989, n° 22,
p. 34 ; BACRI, DAUM, PETRY, 1992, p. 51 ; PETRY, 1994, p. 115 ; SALMON, BARDIN,
2000, n° 215.

Le doré

78
Émile GALLÉ
Le Coudrier
1893
Carafe : verre, décor intercalaire, gravé et oxydations
H. 21,9 ; D. 11,6 cm
Signé et daté, en creux sous la pièce *E. Gallé / ‡ / ft / 1893*
Inscription gravée sur le col *Non de perles brodé, mais de toutes mes larmes / Baudelaire*
Paris, musée d'Orsay, inv. OAO 1170

EXPOSITION
Nancy, 1999, cat. n° 96, repr. p. 298 ; Tokyo, Osaka, 2005, cat. no 46, repr. p. 58, p. 228.
BIBLIOGRAPHIE
Bloch-Dermant, 1974, p. 67 ; Le Tacon, 1998, p. 90 ; Thiébaut, 1999, p. 36 ; Thiébaut, 2004, p. 80.

80
Auguste et **Antonin DAUM**
Vase feuille d'or et cabochon
Verre à décor intercalaire, feuilles d'or, applications
H. 48 ; D. base 9,7 ;
D. panse 12 x 10 ;
D. ouverture 4,3 cm
Signature gravée à l'acide sur le bord de la panse *Daum ‡*
Collection Neumann, inv. J-384

HISTORIQUE
Galerie des Arts décoratifs, Lausanne, 1980.
EXPOSITION
Zurich, 1986, cat. n° 90.
BIBLIOGRAPHIE
Bartha, s. d., p. 40.

79
Auguste et **Antonin DAUM**
Vase aux cigognes
1895
Verre soufflé-moulé, gravé à l'acide et à la roue, peint à l'émail et rehaussé d'or, anses en application
H. 27,5 ; D. 16,5 cm
Signature à l'or sous l'objet *Daum / ‡ Nancy*
Nancy, musée des Beaux-Arts, inv. 83.1.10

HISTORIQUE
Achat avec l'aide du Fonds régional d'acquisition des musées de Lorraine, 1983.
EXPOSITIONS
Nancy, 1978-1979, cat. n° 15, p. 19 ; Prague, 1991, cat. n° 26 ; Tokyo, 1993, cat. n° 17, p. 48 ; Karlsruhe, 1995, cat. n° 11, p. 34-35 ; Tokyo, Kanazawa, Osaka, Shimonoseki, 2001-2002, cat. n° 41, repr. p. 62.
BIBLIOGRAPHIE
Bloch-Dermant, 1974, p. 136 ; Daum, 1980, p. 13 ; Fram, 1985, n° 1067, p. 191 ; Petry, 1989, n° 20, p. 32 ; Bacri, Daum, Petry, 1992, p. 49 ; Petry, 1994, p. 119 ; Salmon, Bardin, 2000, n° 197 ; Bardin, 2004, p. 139.

81
Louis MAJORELLE
Table Pietra dura
Vers 1900
Marbre mosaïqué, marqueterie de bois fruitier,
sculpté, doré
H. 81 ; D. 64 cm
Signature en marqueterie sur le marbre
G. Montelalia
Gifu, Hida Takayama Museum of Art, inv. F-034

BIBLIOGRAPHIE
Duncan, 1991, n. p. ; Mukai, 1997, p. 205.

82
Louis MAJORELLE
Fauteuil gondole « pommes de pin »
Modèle créé en 1902
Hêtre doré, sculpté, velours brodé
H. 88 ; L. 73 ; P. 68 cm
Nancy, musée de l'École de Nancy, inv. 476

HISTORIQUE
Don de J.-B. E. Corbin, 1935.
EXPOSITION
Paris, Salon des Industries du Mobilier, 1905
(modèle identique).
BIBLIOGRAPHIE
Duncan, 1996, p. 403 ; Thomas, 2000, p. 123.

La recherche de la modernité

La recherche de la modernité

Le principe de la modernité est essentiel au projet de l'École de Nancy, dès ses débuts. La modernité a inspiré le regard scientifique imprégné d'une vision positiviste du monde, elle a justifié les expériences sur de nouveaux matériaux, elle s'est appuyée sur un formidable espoir de changement inspiré notamment par les convictions sociales des artistes de l'École de Nancy. Admirateurs d'une nature toujours renouvelée, ils ne cesseront de rendre vivantes et dynamiques leurs productions. Il ne s'agit plus de copier l'ornementation naturaliste des générations précédentes, ni de se satisfaire des effets illusionnistes du mouvement, de la couleur et de la lumière pour réaliser des œuvres aux combinaisons artificielles et aux décors factices, mais de créer des objets innovants adaptés aux aspirations du monde moderne.

L'élaboration de ce nouveau langage doit toutefois beaucoup aux manières de faire et de penser du XVIIIe siècle. À cette époque, les décorateurs viennent d'horizons très différents ; indépendamment de leur métier – peintres, sculpteurs, orfèvres –, ils furent capables d'inventer par le dessin des ornements ou des décors. Cette aptitude à donner forme à une idée par le dessin s'appelle alors « dessein », c'est-à-dire le projet, ou plus exactement la représentation en perspective de ce que l'on a projeté. L'étymologie l'exprime clairement : *disegno* signifie la présentation d'une idée. Au XVIIIe siècle, les termes « dessin » et « dessein » n'étaient d'ailleurs pas différenciés.

Les dessins d'Émile Gallé ne sont ainsi pas seulement des études préparatoires mais la formalisation figurative d'une idée. Au fur et à mesure de ses recherches, le dessin s'imposera pour rendre visible la pensée, formuler un projet, donner corps à un sentiment, une sensation, un souvenir. Ces dessins sont souvent complétés par des annotations minutieuses concernant les matériaux, les couleurs, les modes de fabrication possibles... Une question reste cependant posée : l'œuvre naît-elle dans la pensée, sur le papier ou dans la fusion des matières ?

Disposant d'un vocabulaire de formes naturelles et vivantes, les artistes nancéiens multiplient les expériences audacieuses et jouent avec la souplesse des lignes sinueuses. La ligne graphique développée dans l'espace en un mouvement dynamique caractérise le vase *Aubergine* de Victor Prouvé et des frères Mougin (cat. 90), fruit d'une heureuse concertation entre le concepteur et les réalisateurs. Louis Majorelle donne au mouvement un rôle essentiel : courbes et contre-courbes se répondent dans le tracé de son petit bureau de dame en acajou et bronze doré (cat. 92). Le flambeau *Magnolia* (cat. 93), réalisé en 1903 en collaboration avec Daum, se transforme en un jeu graphique dans l'espace, mimant l'éclosion voluptueuse de la fleur.

Si les références au XVIIIe siècle ne sont jamais complètement absentes (emploi du bronze doré, mouvements de torsion), elles sont assimilées, maîtrisées au seul profit de la quête de la modernité.

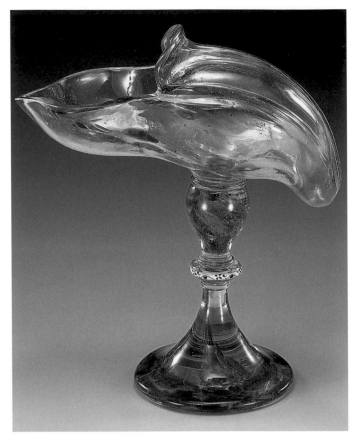

83
Émile GALLÉ
Coupe porte-rose
1889
Verre à inclusions, décor gravé et émaillé
H. 20,8 ; L. 18,4 ; D. base 9,3 cm
Gifu, Hida Takayama Museum of Art, inv. N-018

EXPOSITION
Kyoto, 2004, cat. n° 11, repr. p. 31.
BIBLIOGRAPHIE
MUKAI, 1997, p. 103.

84
Atelier GALLÉ
Modèle de coupe sur pied en cristal en forme de feuille
Vers 1899-1900
Crayon et aquarelle sur papier
24,5 x 30,2 cm
En bas, au milieu, à l'encre, numéro de modèle *839*
Paris, musée d'Orsay, inv. ARO 1986-767

HISTORIQUE
Don de M. et Mme Jean Bourgogne, 1986.
BIBLIOGRAPHIE
THIEBAUT, 1996, p. 95.

85
Émile GALLÉ
Vase Ancolies
1902
Verre à plusieurs couches, marqueterie, patine, décor gravé, applications sur paillons métalliques
H. 37,4 ; D. base 10,4 ; D. panse 9,74 ;
D. ouverture 5,64 cm
Signé en creux sur le vase *Gallé*
Dédicace en relief sur le vase *Emile André / Jeanne Bournique / en souvenir / de nos fiançailles / 3 juin 1902*
Nancy, musée de l'École de Nancy, inv. 002.9.1

HISTORIQUE
Réalisé à l'occasion des fiançailles d'Émile André (1871-1933), artiste, architecte et membre de l'École de Nancy ; acquis avec le concours du Fonds régional d'acquisition des musées de Lorraine et l'aide des descendants d'Émile André, 2002.
EXPOSITION
Nancy, 2003, cat. n° 15, repr. p. 26.
BIBLIOGRAPHIE
THOMAS, 2004, cat. n° 299, p. 173.

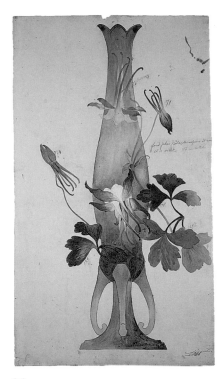

86
Atelier GALLÉ
Modèle de vase à décor d'ancolies
Crayon, gouache sur papier
46,2 x 26,7 cm
Inscriptions au crayon à droite *fond plus pâle (des*
vapeurs de rose / et de violet), 117 sous les taches, *29,*
87 sur un bouton de fleur à gauche, *70 sous [?]* et *71*
à droite, *30, 129 (E), 4,* en bas à droite à l'encre *Tous /*
Nancy, musée de l'École de Nancy, inv. 003.1.1

HISTORIQUE
Don de l'Association des amis du musée de l'École
de Nancy, 2003.

87
Émile GALLÉ
Vase Cornet Ipoméa et phalènes
1900
Verre teinté, inclusions, marqueterie, pied en bronze
H. 56,5 ; D. ouverture 23,3 cm
Nancy, musée de l'École de Nancy, inv. OAO 1123,
dépôt du musée d'Orsay

HISTORIQUE
Modèle présenté à l'Exposition universelle, Paris, 1900 ;
don de M. et Mme Jean Bourgogne, 1981 ; dépôt
du musée d'Orsay au musée de l'École de Nancy, 1986.
EXPOSITION
Nancy, 1999, cat. n° 80, repr. p. 105.
BIBLIOGRAPHIE
THIÉBAUT, 1996, p. 23 ; THOMAS, cat. n° 264, repr. p. 158.

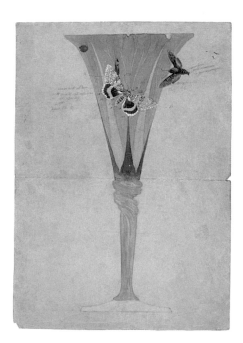

88
Atelier GALLÉ
Modèle de vase en cristal en forme de fleur de liseron et à décor
de papillons de nuit
Vers 1899
Crayon, aquarelle, encre et rehauts de gouache blanche
54,2 x 37,5 cm
En place, à l'encre et au crayon, indications en partie chiffrées
de matériaux et de couleurs *corps brun / irisé n° nouveau / à passer*
au catalogue 82 / 83 / 108 brun 108 doublé violt rouge ivoire 45 – pâle
et plus soutenu 60 186 dégradé 74
Paris, musée d'Orsay, inv. ARO 1986-792

HISTORIQUE
Don de M. et Mme Jean Bourgogne, 1986.
EXPOSITIONS
Nancy, 1999, cat. n° 79, repr. p. 104 ; Darmstadt, Berlin, 1999-2000,
cat. n° 312, repr. p. 317.
BIBLIOGRAPHIE
THIÉBAUT, 1996, p. 22.

89
Auguste et **Antonin DAUM**
Coupe Volubilis rose
1919-1923
Verre soufflé-moulé avec inclusion d'or, jambe
et pied étirés en application et gravés à la roue
H. 49 ; D. 8,5 cm
Signature gravée à la roue sur le pied *DAUM ‡ NANCY*
Nancy, musée des Beaux-Arts, inv. 83.1.43

HISTORIQUE
Achat avec l'aide du Fonds régional d'acquisition
des musées de Lorraine, 1983.
EXPOSITIONS
Nancy, 1979-1980, cat. n° 59, p. 30 ; Tokyo, 1993,
cat. n° 80, p. 95 ; Karlsruhe, 1995, cat. n° 56, p. 72.
BIBLIOGRAPHIE
Daum, 1980, p. 80 ; Petry, 1989, n° 79, p. 81 ; Hyden, 1991,
p. 21 ; Bacri, Daum, Petry, 1992, p. 172 ; Salmon, Bardin,
2000, n° 374.

90
Victor PROUVÉ – **Pierre** (1880-1955)
et **Joseph** (1876-1961) **MOUGIN**
Vase Aubergine
Vers 1909
Grès émaillé et bronze doré
H. 42 ; L. 14,5 ; D. ouverture 3,6 cm
Signé sur le socle *V. Prouvé / MOUGIN*
Nancy, musée de l'École de Nancy, inv. YBM 79.1

HISTORIQUE
Achat, 1979.
EXPOSITIONS
Nancy, 1999, cat. n° 285, repr. p. 250 ; Darmstadt, Berlin,
cat. n° 271, repr. p. 278 ; Tokyo, Kanazawa, Osaka,
Shimonoseki, 2001-2002, cat. n° 48, repr. p. 68.
BIBLIOGRAPHIE
Thomas, 2001, p. 118.

91
Émile GALLÉ
Bureau de dame Escargots
Vers 1900
Noyer et marqueterie de bois variés, montures
en bronze
H. 116,5 ; L. 115 ; P. 63 cm
Signature *Gallé* en marqueterie
Collection Neumann

HISTORIQUE
Wolf Uecker, Hambourg, 1970.
EXPOSITION
Darmstadt, Berlin, cat. n° 286, repr. p. 294.
BIBLIOGRAPHIE
BARTHA, s. d., p. 141.

92
Louis MAJORELLE
Bureau Trèfle
Vers 1902
Acajou, bronze doré
H. 89 ; L. 112,5 ; P. 68,5 cm
Signature gravée sur le tiroir droit *L. Majorelle /
Nancy*
Nancy, musée de l'École de Nancy, inv. V74. 1

HISTORIQUE
Don de Mme Vérain, 1974.

93
Louis MAJORELLE – Auguste et Antonin DAUM
Lampe Flambeau Magnolia
Modèle réalisé en 1903
Bronze doré et ciselé, verre doublé, moulé et ciselé
H. 82 ; L. 40 cm
Signé sur une verrerie *Daum / Nancy / ‡*
Nancy, musée de l'École de Nancy, inv. 482

HISTORIQUE
Don J.-B. Eugène Corbin, 1935.
D'après un modèle créé en 1903 pour l'exposition
de l'École de Nancy au pavillon de Marsan.
EXPOSITIONS
Nancy, 1999, cat. n° 269, repr. p. 330 ; Tokyo, Kanazawa,
Osaka, Shimonoseki, 2001-2002, cat. n° 140, repr. p. 131.
BIBLIOGRAPHIE
BOUVIER, 1990, p. 189 ; MARCILHAC, 1997, p. 11 ;
THOMAS, 2001, p. 51.

94
Louis MAJORELLE – Auguste et Antonin DAUM
Lampe au magnolia
Vers 1900
Bronze doré, verre doublé et moulé
H. 67 ; L. pied 20 ; D. verre 12 cm
Signature sur la verrerie *Daum*
Signature sur le bronze *L. Majorelle*
Collection particulière

BIBLIOGRAPHIE
DAUM, 1980, p. 147 (modèle identique) ; DUNCAN, 1991, p. 146
(modèle identique) ; BACRI, 1992, p. 143 (modèle identique).

Bibliographie

Académie [...], 1900
Académie de Stanislas.
Séance solennelle du 17 mai 1900.
Réponse du président M. Ch.
De Meixmoron de Dombasle au
récipiendaire M. Émile Gallé, Nancy,
Imprimerie Berger-Levrault et Cⁱᵉ,
1900.

ADELINE, 1902
ADELINE (Jules), *Quelques souvenirs*
sur Champfleury, Rouen, 1902.

ALCOUFFE, 1988
ALCOUFFE (Daniel), BASCOU (Marc),
DION-TENENBAUM (Anne),
THIÉBAUT (Philippe), *Le Arti decorative*
alle grandi esposizioni universali :
1851-1900, Milan, Idealibri,
1988.

Anonyme, 1903
Anonyme, *Catalogue officiel illustré.*
Exposition École de Nancy,
Union centrale des arts décoratifs,
mars 1903, 1903.

BACRI, 1992
BACRI (Clotilde), DAUM (Noël),
PETRY (Claude), *Daum*, Paris,
Michel Aveline éditeur, 1992.

BADEL, 1891
BADEL, Émile, « La cavalcade de la
fête des écoles », *La Lorraine artiste*,
24 mai 1891, p. 329-332.

BARDIN, 2004
BARDIN (Christophe), *Daum. 1878-1939.*
Une industrie d'art lorraine, Metz,
éditions Serpenoise, 2004.

BERGERAT, 1878
BERGERAT, *Les Chefs-d'œuvre d'art*
à l'Exposition universelle de 1878,
Paris, L. Baschet, 1878, 2 vol.

BLOCH-DERMANT, 1974
BLOCH-DERMANT (Janine), *L'Art*
du verre en France 1860-1914,
Lausanne, Édita Denoël, 1974.

BOULÉE, 1968
BOULÉE (Étienne-Louis),
Architecture. Essai sur l'art, Paris,
Hermann, 1968 [textes réunis et
présentés par Jean-Marie Pérouse
de Montclos].

BOUR, 1904
BOUR (Édouard), « Le musée
des Arts décoratifs à l'hôtel de ville
de Nancy », *La Lorraine artiste*,
1ᵉʳ-15 février 1904, n° 3-4, p. 34-40.

BOUVIER, 1990
BOUVIER (Roselyne), « Une table à thé
laquée de Louis Majorelle », *Arts*
nouveaux, Bulletin de l'Association
des amis du musée de l'École de
Nancy, printemps 1990, n° 5, p. 1.

BOUVIER, 1991
BOUVIER (Roselyne), *Majorelle.*
Une aventure moderne, Paris,
La Bibliothèque des arts – Metz,
éditions Serpenoise, 1991.

BOUVIER, 1999
BOUVIER (Roselyne), « Die
Möbelkunst der École de Nancy »,
in *Art nouveau, Symbolismus und*
Jugendstil in Frankreich, catalogue
d'exposition, Stuttgart, New York,
Arnoldsche Art Publishers, 1999,
p. 284-291.

BOUVIER, THIÉBAUT, 1999
BOUVIER (Roselyne), THIÉBAUT
(Philippe), « Émile Gallé et
Louis Majorelle, le parallèle de
deux carrières », in *L'École de Nancy*
1889-1909. Art nouveau et industries
d'art, catalogue d'exposition, Paris,
Réunion des musées nationaux,
1999.

CABASSE, 1854
CABASSE (A.), *Projets*
d'embellissements et de
constructions d'objets d'utilité
publique pour la ville de Nancy,
Nancy, A. Cabasse, 1854.

CHARPENTIER, 1964
CHARPENTIER (Françoise-Thérèse),
« L'École de Nancy et le renouveau
de l'art décoratif en France »,
Médecine de France, juillet 1964,
p. 17-32.

CHARPENTIER, 1968
CHARPENTIER (Françoise-Thérèse),
« Nouvelles acquisitions »,
La Revue du Louvre et des musées
de France, 18ᵉ année, 1968, n° 6,
p. 385-392.

CHARPENTIER, 1978
CHARPENTIER (Françoise-Thérèse),
Émile Gallé, industriel et poète
1846-1904, Nancy, Presses
universitaires de Nancy, 1978.

CHARPENTIER, 1984
CHARPENTIER (Françoise-Thérèse),
La Céramique de Gallé, Nancy,
musée de l'École de Nancy,
1984.

CHOUX, 1966
CHOUX (abbé Jacques),
« L'hôtel de ville de Nancy »,
La Revue française, mars 1966,
supplément au n° 186.

CLOUZOT, 1925
CLOUZOT (Henri), *Des Tuileries*
à Saint-Cloud. L'art décoratif du
Second Empire, Paris, Payot, 1925.

Collectif, 1966
Collectif, *Nancy capitale de la*
Lorraine, Nancy, Ville de Nancy,
1966.

Collectif, 1985
Collectif, *Catalogue sommaire*
illustré des achats réalisés
de 1982 à 1984 avec l'aide
des Fonds régionaux d'acquisitions
pour les musées, Paris,
Réunion des musées nationaux,
1985.

Collectif, 1989
Collectif, *Nancy 1900.*
Rayonnement de l'Art nouveau,
Thionville, Gérard Klopp, 1989.

Collectif, 1999
Collectif, *L'École de Nancy,*
1889-1909. Art nouveau et industries
d'art, Paris, Réunion des musées
nationaux, 1999.

Collectif, 2003
Collectif, « Les Universités
de Nancy », *Le Pays lorrain*,
numéro hors série, 2003.

COURNAULT, 1903
COURNAULT (Charles), « Le rôle du fer
dans les arts décoratifs », *Bulletin*
des Sociétés artistiques de l'Est,
septembre 1903, p. 159-162.

DAUM, 1980
DAUM (Noël), *Daum, maîtres verriers*,
Lausanne, Édita, 1980.

DEBIZE, 1998
DEBIZE (Christian), *Émile Gallé et*
l'École de Nancy, Metz, éditions
Serpenoise, 1998.

DUNCAN, 1982
DUNCAN (Alastair), *Art nouveau*
Furniture, Londres, Thames and
Hudson, 1982.

DUNCAN, 1991
DUNCAN (Alastair), *Majorelle*, Paris,
Flammarion, 1991.

DUNCAN, 1996
DUNCAN (Alastair), *The Paris Salons*
1895-1914, volume III : Furniture,
Woodbridge Suffolk, Antique
Collectors' Club, 1996.

DUNCAN, BARTHA, 1984
DUNCAN (Alastair),
BARTHA (Georges de), *Glass by Gallé*,
Londres, Thames and Hudson, 1984.

GABER, 1985
GABER (Stéphane), « Un beau
livre lorrain du XVIIIᵉ siècle :
le recueil des fondations
du roi de Pologne
de Nicolas-Léopold Michel »,
Le Pays lorrain, 1985, p. 72-79.

GALLÉ, 1900
GALLÉ (Émile), *Le Décor symbolique*,
Nancy, Imprimerie Berger-Levrault
et Cⁱᵉ, 1900.

GALLÉ, 1998
GALLÉ (Émile), *Écrits pour l'art*, Paris,
[1ʳᵉ éd., 1908], réédition Marseille,
Jeanne Laffitte Reprints, 1998.

GARNER, 1979
GARNER (Philip), *The Encyclopaedia*
of Decorative Arts 1890-1940,
New York, Van Nostrand Reinhold,
1979.

Gazette des Beaux-Arts, 1978
[Anonyme], « Principales
acquisitions des musées en 1977 »,
La Chronique des Arts, supplément
à la *Gazette des Beaux-Arts*,
mars 1978, n° 1310.

GONCOURT, 1957
GONCOURT (Edmond et Jules de),
Journal. Mémoires de la vie littéraire,
Monaco, éditions du Rocher, 1957,
t. VIII.

GOUDEAU, 1887
GOUDEAU (Émile), « L'Exposition
des arts décoratifs », *Revue illustrée*,
15 novembre 1887, n° 47,
p. 351-361.

GOUTIÈRE-VERNOLLE, 1892
GOUTIÈRE-VERNOLLE (Émile), *Les Fêtes
de Nancy. 5, 6 et 7 juin 1892*, Nancy,
Crépin-Leblond, 1892.

GOUTIÈRE-VERNOLLE, 1894
GOUTIÈRE-VERNOLLE (Émile),
« L'Exposition d'art décoratif lorrain »,
La Lorraine artiste, 7 janvier 1894,
n° 1, p. 1-4.

GROS-GALLINER, 1979
GROS-GALLINER (Gabriella), « A French
Connection. Émile Gallé and the
Boweses », *The Connoisseur*,
septembre 1979, p. 50-55.

GROVER, 1970
GROVER (Ray and Lee), *Carved and
decorated European Art Glass*,
Vermont, 1970.

HALLAYS, 1905
HALLAYS (A.), « En flânant. Comment
fut bâtie la ville de Nancy »,
Journal des Débats,
29 décembre 1905.

HALLAYS, 1906
HALLAYS (A.), « En flânant. L'œuvre
de Stanislas à Nancy », *Journal des
Débats*, 5 et 12 janvier 1906.

HAVARD, 1889
HAVARD (Henri), « Les industries
d'art à l'exposition », *Gazette des
Beaux-Arts*, août 1889, p. 174-196.

HERÉ, 1750
HERÉ (Emmanuel), *Recueil des plans,
elevations et coupes, tant geometrales
qu'en perspective, des chateaux,
jardins et dependances que le roy
de Pologne occupe en Lorraine,
y compris les batimens qu'il a fait
elever, ainsi que les changemens

considerables, les decorations et
autres enrichissemens qu'il a fait faire
a ceux qui étoient déja construits.
Le tout dirigé et dédié à Sa Majesté.
Par M. Heré, son premier architecte.
Premiere partie Suite des plans
elevations et coupes des chateaux
que le Roy de Pologne occupe
en Lorraine. Deuxieme partie
Plans et elevations de la Place Royale
de Nancy et des autres edifices
qui l'environnent bâtie par les ordres
du Roy de Pologne Duc de Lorraine.
Dédiés au Roy de France par Héré
premier architecte de Sa Majesté
Polonoise*, Paris, chez François,
graveur ord. de Sa Majesté,
1750.

HILSCHENZ, 1973
HILSCHENZ (Helga), *Das Glas des
Jugendstils. Katalog der Sammlung
Hentrich im Kunstmuseum
Düsseldorf*, Munich, 1973.

HILSCHENZ, RICKE, 1985
HILSCHENZ (Helga), RICKE (Helmut),
*Glas. Historismus Jugendstil Art
Déco. Frankreich. Die Sammlung
Hentrich im Kunstmuseum
Düsseldorf*, Munich, 1985.

HUMBERT, 1993
HUMBERT (Chantal), *Les Arts décoratifs
en Lorraine de la fin du XVIIe siècle
à l'ère industrielle*, Paris, éditions
de l'Amateur, 1993.

HYDEN, 1991
HYDEN (Catherine), « Daum ou
l'intelligence du verre », *La Revue
de la céramique et du verre*,
mai-juin 1991, n° 58, p. 20-23.

KLESSE, 1991
KLESSE (Brigitte), *Glas und Keramik
vom Historismus bis zur Gegenwart.
Schenkung Gertrud und Dr. Karl
Funke-Kaiser*, Cologne, Museum für
angewandte Kunst, 1991.

KLESSE, MAYR, 1981
KLESSE (Brigitte), MAYR (Hans),
*Glas vom Jugendstil bis heute.
Sammlung Gertrud und Dr. Karl
Funke-Kaiser*, Cologne, Verlag
der Buchhandlung Walter König,
1981.

LALONDE, 1993
LALONDE (Olivier), *Les Frères Voirin :
chronique d'une ville et d'une
époque*, mémoire de maîtrise
en histoire de l'art à l'université
de Nancy II, 1993, 2 vol.

LAUGIER, 1979
LAUGIER (Marc Antoine), *Essai sur
l'architecture*, Paris, Duchesne, 1755
[1re éd., 1753], réédition, Bruxelles,
Liège, Mardaga, 1979.

LAURENT, 2005
LAURENT (Stéphane), *Figures
de l'ornement*, Paris, Massin, 2005.

LEMACHOIS, 1862
LEMACHOIS (A.), *Nancy à l'exposition
de Metz*, Nancy, A. Lepage, 1862.

LE TACON, 1998
LE TACON (François), *L'Œuvre
de verre d'Émile Gallé*, Paris,
éditions Messene, 1998.

LE TACON, 2004
LE TACON (François), *Charles et
Émile Gallé céramistes*,
Association des amis de la faïence
ancienne Lunéville Saint-Clément,
2004.

La Lorraine artiste, avril 1891
[Anonyme], « Les grilles de
Jean Lamour », *La Lorraine artiste*,
26 avril 1891, n° 17, p. 272.

Magasin pittoresque, octobre
1864
[Anonyme], « Histoire du costume
en France. Suite du règne de
Louis XV », *Magasin pittoresque*,
octobre 1864, n° 42.

MARCILHAC, 1997
MARCILHAC (Félix), « Daum.
Les verreries artistiques autour
de 1900 », *Art nouveau Art déco*,
1997, 4e année, n° 19, p. 8-41
(article en japonais).

MARX, 1891
MARX (Roger), « Les arts décoratifs et
industriels aux salons du Palais de
l'Industrie et du Champ de Mars »,
Revue encyclopédique,
15 septembre 1891, p. 584-589.

MARX, 1892
MARX (Roger), « L'art décoratif
en Lorraine », *La Lorraine artiste*,
10 avril 1892, n° 15, p. 241-242.

MARX, 1911
MARX (Roger), « Émile Gallé.
Psychologie de l'artiste et synthèse
de l'œuvre », *Art et Décoration*,
août 1911, p. 234-252.

MOREY, 1862
MOREY (Mathieu-Prosper),
« Notice sur la vie et les œuvres
d'Emmanuel Héré, premier
architecte de S. M. Stanislas,
roi de Pologne, duc de Lorraine
et de Bar », *Mémoires de l'Académie
de Stanislas*, 1862.

MOREY, 1865
MOREY (Mathieu-Prosper),
« Notice sur la vie et les œuvres
de Germain Boffrand, premier
architecte de Léopold,
duc de Lorraine », *Mémoires
de l'Académie de Stanislas*,
1865.

MOREY, 1868
MOREY (Mathieu-Prosper),
« Richard Mique, architecte
de Stanislas, roi de Pologne
et de la reine Marie-Antoinette »,
Mémoires de l'Académie de Stanislas,
1868.

MOREY, 1871
MOREY (Mathieu-Prosper),
*Les Statuettes dites Terre de Lorraine :
avec un exposé de la vie et des
œuvres de leurs principaux auteurs :
Cyfflé, Sauvage dit Lemire, Guibal et
Clodion*, Nancy, G. Crépin-Leblond,
1871.

MOUGENOT, 1861
MOUGENOT (Léon), *De l'emplacement
de la nouvelle église paroissiale
de la ville-vieille et du type
architectonique qui devrait obtenir
la préférence à Nancy*, Nancy,
A. Lepage, 1861.

MOUREY, [s. d.]
MOUREY (Gabriel), *Les Arts de la vie
et le règne de la laideur*, Bruxelles,
P. Neudoff, [s. d.].

MUKAI, 1997
MUKAI (Tetsuya), *Guide to the Hida Takayama Museum of Art*, Japon, Hida Takayama Museum of Art, 1997.

Nancy [...], 1896
Nancy : architecture, beaux-arts, monuments : album de 100 planches en phototypie, Paris, Armand Guérinet, 1896.

Nancy artiste, mars 1886
[Anonyme], « Nos gravures », *Nancy artiste*, 21 mars 1886, p. 74.

Nancy artiste, décembre 1886
[Anonyme], « Nos gravures », *Nancy artiste*, 19 décembre 1886, p. 331.

Nancy 1900 [...], 1999
Nancy 1900 au quotidien : scènes de la vie des Nancéiens, Paris, direction du Livre et de la Lecture, FFCB, 1999.

NOUVEL-KAMMERER, 1996
NOUVEL-KAMMERER (Odile), *Le Mobilier français, Napoléon III, années 1880*, Paris, Massin, 1996.

Nouvelles constructions [...], [s. d.]
Nouvelles constructions de Nancy. Recueil de façades de style moderne édifiées à Nancy, Paris, Charles Schmid éditeur, [s. d.].

ORS, 1968
ORS (Eugenio d'), *Du baroque*, Paris, Gallimard, 1968 [1re éd., 1935].

PAYNE, 1981
PAYNE (Christopher), *19th European furniture*, Londres, Antique Collector's Club, 1981.

PÉROUSE DE MONTCLOS, 1989
PÉROUSE DE MONTCLOS (Jean-Marie), *Histoire de l'architecture française. De la Renaissance à la Révolution*, Paris, Mengès, éditions du Patrimoine, Caisse nationale des monuments historiques et des sites, 1989.

PETRY, 1989
PETRY (Claude), *Daum dans les musées de Nancy*, Nancy, musée des Beaux-Arts, 1989.

PETRY, 1994
PETRY (Claude), « Daum et ses collaborateurs, jusqu'en 1914 », *Art nouveau Art déco*, 1994, 1re année, n° 3, p. 114-127 (article en japonais).

PHÉNAL, 1890-1891
PHÉNAL (A.), « Le vernis Martin autrefois et aujourd'hui », *Revue des arts décoratifs*, 1890-1891, t. XI, p. 382-385.

PORTOGHESI, QUATTROCCHI, 1988
PORTOGHESI (Paolo), QUATTROCCHI (Luca), *Baroque et Art nouveau : le miroir de la métamorphose*, Paris, Seghers, 1988.

PUPIL, 2005
PUPIL (François), « L'Artiste lorrain dans l'Europe des lumières », *Péristyle*, Cahier des amis du musée des Beaux-Arts de Nancy, Association Émmanuel Héré, 2005, n° 25, p. 5-28.

Revue générale [...], 1910
Revue générale de l'Exposition de Nancy, 1909, et Palmarès de la Société industrielle de l'Est, Nancy, Société industrielle de l'Est, 1910.

ROBIN, 1855
ROBIN (Charles), *Histoire illustrée de l'exposition universelle par catégories d'industries*, Paris, Furne, 1855.

ROTH, 2003
ROTH, François, « L'essor de l'université de Nancy, 1871-1914 », *Pays Lorrain*, hors série, 2003.

ROUSSEL, BASTIEN, 1992
ROUSSEL (Francis), BASTIEN (Daniel), *Nancy architecture 1900*, Metz, éditions Serpenoise, collection « Images du patrimoine », 1992.

ROYER [s. d.]
ROYER (Jules), *L'Industrie des arts décoratifs à Nancy : recueil de 62 phototypies*, Nancy, Royer, [s. d.].

SALMON, BARDIN, 2000
SALMON (Béatrice), BARDIN (Christophe), *Daum. Collection du musée des Beaux-Arts de Nancy*, Paris, Réunion des musées nationaux, 2000.

THIÉBAUT, 1989
THIÉBAUT (Philippe), « Contribution à une histoire du mobilier japonisant : les créations de l'Escalier de cristal », *Revue de l'Art*, 1989-3, n° 85, p. 76-83.

THIÉBAUT, 1993
THIÉBAUT (Philippe), *Les Dessins de Gallé*, Paris, Réunion des musées nationaux, 1993.

THIÉBAUT, 1995 (1)
THIÉBAUT (Philippe), « Émile Gallé : terre, verre, bois », *Art nouveau Art déco*, 1995, 2e année, n° 8, p. 25-53 (article en japonais).

THIÉBAUT, 1995 (2)
THIÉBAUT (Philippe), *La Lettre Art nouveau en France*, « Les dossiers du musée d'Orsay », n° 55, Paris, Réunion des musées nationaux, 1995.

THIÉBAUT, 1996 (1)
THIÉBAUT (Philippe), « Le Testament d'un verrier : la Main aux algues et aux coquillages (1904) d'Émile Gallé », *Revue du Louvre*, 1996, n° 3, p. 71-80.

THIÉBAUT, 1996 (2)
THIÉBAUT (Philippe), « Émile Gallé et le musée de l'École de Nancy », Art nouveau Art déco, 1996, n° 15, p. 8-69 (article en japonais).

THIÉBAUT, 1996 (3)
THIÉBAUT (Philippe), « Gallé et ses dessins de modèles », *Art nouveau Art déco*, 1996, 3e année, n° 15, p. 79-103 (article en japonais).

THIÉBAUT, 1997
THIÉBAUT (Philippe), « Émile Gallé et le symbolisme », *Art nouveau Art déco*, 1997, 4e année, n° 19, p. 100-120 (article en japonais).

THIÉBAUT, 1999
THIÉBAUT (Philippe), « Les techniques verrières de Gallé », *Art nouveau Art déco*, 1999, 6e année, n° 28, p. 30-51 (article en japonais).

THIÉBAUT, 2004 (1)
THIÉBAUT (Philippe), « Le thème de la mer dans l'œuvre de Gallé », in *Gallé. Le testament artistique*, catalogue d'exposition, Paris, Réunion des musées nationaux, 2004.

THIÉBAUT, 2004 (2)
THIÉBAUT (Philippe), *Émile Gallé. Le magicien du verre*, Paris, Gallimard, collection « Découvertes », 2004.

THOMAS, 2000
THOMAS (Valérie), « Le textile de l'École de Nancy », *Art nouveau Art déco*, 2000, 7e année, n° 35, p. 119-132 (article en japonais).

THOMAS, 2001 (1)
THOMAS (Valérie), « L'École de Nancy et le statut des arts appliqués », in *L'École de Nancy. Conversation avec la nature*, catalogue d'exposition, Asahi Shimbun, 2001, p. 17-20 (en japonais), p. 25-27 (en français).

THOMAS, 2001 (2)
THOMAS, *Album du musée de l'École de Nancy*, Paris, Réunion des musées nationaux, 2001.

THOMAS, 2004 (1)
THOMAS (Valérie), « Acquisitions XIXe siècle », *Revue du Louvre*, juin 2004, n° 3, p. 92-93.

THOMAS, 2004 (2)
THOMAS (Valérie), *Émile Gallé et le verre. La collection du musée de l'École de Nancy*, Paris, Somogy éditions d'art – Nancy, musée de l'École de Nancy, 2004.

VALBRÈGUE, 1900
VALBRÈGUE (A.), « Nos industries provinciales, les bijoux lorrains », *Revue des arts décoratifs*, 1900, t. XX, p. 58-60.

VAUXCELLES, 1910
VAUXCELLES (Louis), « L'art décoratif au Salon d'automne », *Art et Industrie*, novembre 1910, n. p.

VIEIL-CASTEL, 1884
VIEIL-CASTEL (Horace, comte de),
*Mémoires sur le règne de Napoléon III
1851-1864*, Paris, Chez tous les
libraires, 1884, t. III.

VIGATO, 1998
VIGATO (Jean-Claude), *L'École
de Nancy et la question
architecturale*, Paris, Messene,
collection « Art nouveau », 1998.
VIOLLET-LE-DUC, s. d.
VIOLLET-LE-DUC (Eugène), *Histoire
de l'habitation humaine*, Paris, Hetzel
et Cⁱᵉ, s. d. [1ʳᵉ éd., 1875].

WORRINGER, 1967
WORRINGER (Wilhelm), *L'Art gothique*,
Paris, Gallimard, collection
« Idées/Arts », 1967
[1ʳᵉ éd. allemande, 1911].

YAMANE, 1995
YAMANE (Ikunobu), « Lettres de Gallé »,
Art nouveau Art déco, 1995, 2ᵉ année,
n° 8, p. 84-91 (article en japonais).

YAMANE, 1999
YAMANE (Ikunobu), « Gallé et
l'Exposition universelle de 1878
à Paris », *Art nouveau Art déco*, 1999,
6ᵉ année, n° 28, p. 90-105 (article en
japonais).

YOSHIMIZU, 1977
YOSHIMIZU, *Gallé : L'homme et son
œuvre*, Tokyo, 1977.

Catalogues d'exposition

Paris, 1894
*Salon de la Société nationale des
beaux-arts*, section objets d'art, 1894.

Paris, 1925
*Exposition des Arts décoratifs
et industriels modernes*, Paris, 1925.

Munich, 1969
*Internationales Jugendstilglas.
Verformen moderner Kunst*, Munich,
Museum Stuck-Villa, 1969.

Cologne, 1975
*Glass Sammlung Gertrud und Dr. Karl
Funke-Kaiser*, Cologne,
Kunstgewerbemuseum, 1975.

Houston, Chicago, 1976
Art nouveau Belgium-France,
Houston, Rice Museum, Chicago,
The Art Institute of Chicago, 1976.

Nancy, 1978-1979
*Daum, cent ans de création dans le
verre et le cristal*, Nancy, musée des
Beaux-Arts, 1978-1979.

Nancy, 1979-1980
*Daum, cent ans de verrerie d'art,
« trois styles »*, Nancy, musée
des Beaux-Arts, 1979-1980.

Munich, 1980
*Nancy 1900. Jugendstil in Lothringen.
Zwischen Historismus und Art déco*,
Munich, Münchner Stadtmuseum,
1980.

Zurich, 1980
*Émile Gallé. Keramik, Glas und
Möbel des Arts nouveau*, Zurich,
musée Bellerive, 1980.

Nancy, 1981-1982
Daum, verre et cristal, Nancy,
musée des Beaux-Arts, 1981-1982.

Cologne, 1982-1983
*Auf den künstlerischen Spuren
Émile Gallés. Gläser und ihre
Entwürfe*, Cologne, 1982-1983.

New York, 1984
Émile Gallé. Dreams into Glass,
New York, The Corning Museum
of Glass, 1984.

Paris, 1985-1986
Gallé, Paris, musée du Luxembourg,
1985-1986.

Zurich, 1986
Daum Nancy, Zurich, musée
Bellerive, 1986.

Atlanta, Nancy, 1990-1991
*Céramique lorraine. Chefs-d'œuvre
des XVIIIᵉ et XIXᵉ siècles*, Atlanta,
High Museum, 1990-1991, Nancy,
Musée lorrain, 1991.

Prague, 1991
*Chefs-d'œuvre de la verrerie en France
du XIXᵉ siècle à nos jours*, Prague,
musée des Arts décoratifs, 1990.

Japon, 1991-1992
*Glas Jugendstil und Art déco.
Eine Ausstellung des Glasmuseums
Hentrich im Kunstmuseum
Düsseldorf im Ehrenhof*,
Odakyu-Grand-Galerie,
musée Kasama Nichido,
musée Yamagata, Hamamatsu,
musée des Beaux-Arts, Hiroshima,
musée, Daimaru, musée, Umeda
(Osaka), Gifu, Musée historique,
1991-1992.

Tokyo, 1993
*Le Lyrisme de la nature. Exposition
des œuvres de Daum*, Tokyo,
Metropolitan Teien Art Museum,
1993.

Karlsruhe, 1995
*Daum-Glas des Jugendstils und Art
Déco, aus dem Musée des Beaux-Arts
in Nancy*, Karlsruhe, Badisches
Landesmuseum, 1995.

Bordeaux, 1988
Mémoires du XVIIIᵉ siècle, Bordeaux,
musée Goupil, 1988.

Nancy, 1999
*L'École de Nancy, 1889-1909. Art
nouveau et industries d'art*, Nancy,
galeries Poirel, 1999.

Saint-Pétersbourg, 1999
*« Orchidées lorraines… » Émile Gallé
et les frères Daum*, Saint-Pétersbourg,
Musée national de l'Ermitage,
1999.

Toul, 1999
Céramiques touloises et Art nouveau,
Toul, musée d'Art et d'Histoire,
1999.

Darmstadt, Berlin, 1999-2000
*Art nouveau. Symbolismus und
Jugendstil in Frankreich*, Darmstadt,
Institut Mathildenhöhe, Berlin,
Bröhan-Museum, Landesmuseum
für Jugendstil, Art déco und
Funktionalismus (1889-1939),
1999-2000.

Paris, 1999-2000
Marcel Proust, l'écriture et les arts,
Paris, Bibliothèque nationale
de France, 1999-2000.

Gingins, Bielefeld, Dormagen,
Bordeaux, 1999-2001
*Um 1900. Verborgene Schätze aus
der Sammlung des Museums
Bellerive Zürich – Autour de 1900.
Trésors cachés du musée Bellerive
de Zurich*, Gingins, Fondation
Neumann, 1999, Bielefeld,
Kunstgewerbesammlung Stifung
Huelsmann, Dormagen,
Kreismuseum Zons, 2000, Bordeaux,
musée des Arts décoratifs, 2000-2001.

Nancy, 2000
Daum. Dernières acquisitions, Nancy,
musée des Beaux-Arts, 2000.

Tokyo, Kanazawa, Osaka,
Shimonoseki, 2001-2002
*L'École de Nancy. Conversation avec
la nature*, Tokyo, The Bunkamura
Museum of Art, Kanazawa,
Musée préfectoral des beaux-arts
d'Ishikawa, Osaka, Suntory
Museum, Shimonoseki,
Musée municipal des beaux-arts,
2001-2002.

Kyoto, 2004
Émile Gallé. 100 ans après sa mort,
Kyoto, Imura Art Gallery, 2004.

Paris, 2004
*« La Main aux algues et aux
coquillages ». Le testament artistique
d'Émile Gallé*, Paris, musée d'Orsay,
2004.

Nancy, 2004-2005
*Stanislas, un roi de Pologne en
Lorraine*, Nancy, Musée lorrain,
2004-2005.

Tokyo, Osaka, 2005
Émile Gallé : un trésor français, Tokyo,
musée Edo-Tokyo, Osaka, Musée
national d'art, 2005.

Baliston – Banque Populaire de Lorraine – Batigère – Byblos Group – France Lanord et Bichaton – IBM – france télévisions publicité – Keller Service –
Lagarde et Meregnani – Nordon – Printemps – SAINT-GOBAIN PAM – Ségécé-Klépierre – SFR Cegetel – Sogéa

Crédits photographiques

Collections publiques

Archives départementales de Meurthe-et-Moselle, Nancy, photo Damien Boyer : p. 52

Archives municipales, Nancy, photo Damien Boyer : p. 40, 41

Bibliothèque municipale, Nancy,

   photo ville de Nancy : cat. 25

   photo Damien Boyer : p. 20, 36, 53

Château-Musée Saint-Jean-l'Aigle, Longwy-Herserange : cat. 22, 58

Collection Neumann, Gingins, Suisse,

   photo Jean-Marc Baumberger, Genève : cat. 76, 80

   photo Fondation Neumann : cat. 91

École nationale d'art, Nancy : p. 12

Hida Takayama Museum of Art, Gifu : cat. 41, 81, 83

Musée Bellerive, Zürich, photo Marlen Perez : cat. 74

Musée d'Art et d'Histoire, Toul, photo Patrice Buren : cat. 6, 7

Musée de l'École de Nancy, Nancy,

   photo Damien Boyer : p. 14, 17, 18, 21, 22, 39, 42, 43, 47, 48, 50, 51, 54 à 57, 60 à 63, 65

   photo musée de l'École de Nancy : cat. 16 à 19, 69

   photo Claude Philippot : cat. 1 à 3, 11 à 13, 24, 30, 37 à 39, 43 à 46, 49 à 52, 55, 56, 59, 61, 73, 75, 82, 85 à 87, 92

   photo Studio Image : cat. 9, 42, 57, 90, 93

   photo ville de Nancy : cat. 23

Musée des Beaux-Arts, Nancy,

   photo Gilbert Mangin : cat. 77, 79

   photo Réunion des musées nationaux, Paris, Harry Bréjat : cat. 21, 67, 72, 89

Musée d'Orsay, Paris,

   photo musée d'Orsay : p. 24, 26, 28 à 31, 35

   photo Réunion des musées nationaux, Paris, Christian Jean : cat. 78 ; Thierry Le Mage : cat. 48 ; Hervé Lewandowski : cat. 54, 88 ; Patrice Schmidt : cat. 84

Musée du Château, Lunéville, photo Patrice Buren : cat. 14, 26

Musée lorrain, Nancy, photo Damien Boyer : p. 19, 58

Musée national Adrien-Dubouché, Limoges, photo Réunion des musées nationaux, Paris, Jean-Gilles Berizzi : cat. 62 à 65

Museum für Angewandte Kunst, Cologne, photo Rheinisches Bildarchiv : cat. 20

Museum für Kunsthandwerk, Francfort : cat. 40

Museum Kunstpalast, Düsseldorf : cat. 71

The Bowes Museum, Barnard Castle, Co. Durham : p. 27, cat. 10

Collections particulières

   photo Damien Boyer : p. 23, 38, 45, cat. 27 à 29, 31, 53, 60, 70, 94

   photo Studio Desbottes, Lille : cat. 68

   photo Yves Richez : cat. 4, 5, 8

Tous droits réservés pour les autres reproductions

La photogravure a été réalisée par Quat'Coul, Toulouse

Cet ouvrage a été achevé d'imprimer sur les presses de Snoeck-Ducaju & Zoon, Gand (Belgique) en septembre 2005